Parquet flottant

Samuel Corto

Parquet flottant

roman

DENOËL

À ma No et les lapins.

Merci à mes lecteurs
de la première heure (qui se reconnaîtront),
pour leur soutien et leurs avis précieux.

Soldat sans joie, va, déguerpis,
L'amour t'a faussé compagnie.

Alain Bashung,
Fantaisie militaire

AVERTISSEMENT

Chers lecteurs,

La mention est là, quelque part cachée dans un coin de ce livre, au tout début ou à la toute fin, qu'il m'appartient de rappeler avec la force du devoir : « Toute coïncidence, etc. avec un personnage réel ou ayant existé, etc., serait accidentelle ou fortuite, etc. » Ce qui suit n'est que fiction, construite de choses fictives : les lieux, les personnages, les scènes, les dossiers. La justice elle-même, peut-être, en un sens. Moi-même aussi, dans mon fait d'être, qui vous parle d'un lieu qui n'existe sûrement pas, sans certitude que ces mots vous parviennent un jour, sauf par une étrange téléportation dont j'ignorerais alors les principes. Mais, par une hypothèse folle, sachez que j'aimerais alors serrer quelques-unes de vos mains ou, depuis un balcon, lever mon bras au cœur de l'air, dans l'imitation d'une posture électorale qui a étonnamment toujours l'air de plaire.

La magistrature française se compose de deux tribus qui font semblant de s'opposer : les debout et les assis.

Les debout (qualifiés ainsi parce qu'ils se lèvent pour prendre la parole) constituent le *ministère public*, appelé également *parquet*. Ils sont chargés de poursuivre les contrevenants et, de fait, acceptent de jouer dans le scénario judiciaire le rôle des méchants. D'une manière générale, ils n'exercent donc pas ce métier par passion d'enfance, sauf peut-être pour les plus pervers.

Les assis (le *siège*) sont les juges au sens propre, qui composent les tribunaux et prononcent les décisions de justice.

Ces deux tribus habitent ensemble au même endroit, sur le même sommet ensoleillé de l'œuvre de justice. Souvent, ils font même des enfants entre eux, comme dans l'Éducation nationale. Tous sont issus de la même formation (l'École nationale de la magistrature) et, en cours de carrière, au mercato de septembre, des transferts massifs d'une équipe à l'autre s'opèrent sur tout le territoire national. La distinction est donc très perméable.

Le parquet est quasiment absent de la justice civile (qui concerne les litiges entre particuliers), son domaine privilégié d'intervention est le pénal (les infractions à l'ordre public et les sanctions consécutives). C'est là qu'il s'épanouit. Chaque tribunal de grande instance connaît un parquet, composé à sa tête d'un *procureur* (de la République), secondé de *substituts* et de *vice-procureurs*. Cette dernière catégorie, d'une nature intermédiaire, a eu tendance récemment à se développer fortement pour des raisons d'évolution de carrière, indexant la magistrature sur l'armée mexicaine.

En face, le siège possède un organigramme similaire : un *président*, des *juges* et, entre les deux, des *vice-présidents* en pagaille.

Sur un plan presque régional, les tribunaux sont inféodés à une cour d'appel. Il en existe trente-cinq en France, dont certaines sont menacées de disparition. On y retrouve les magistrats les plus anciens, c'est-à-dire en voie de fossilisation méritante. Le parquet s'appelle alors *parquet général*, avec au sommet le *procureur général*, aidé d'*avocats généraux* et de *substituts généraux*. Au siège, on y rencontre le *premier président*, secondé de *conseillers*.

Tout en haut, dans les neiges permanentes et le mal de l'altitude, on peut entrevoir parfois la Cour de cassation, les jours de grand clair. Sur ses magistrats, on ne peut pas dire grand-chose : ceux qui y sont allés n'en sont jamais revenus, comme d'une maison de retraite.

DE L'AUTRE CÔTÉ
DU PRÉTOIRE

C'était, à n'en plus douter, un accomplissement personnel fort, une sorte de transe extatique : la magistrature m'ouvrait ses bras. Des bras bruns, puissants, poilus, tentaculaires. Je raccrochai ma robe noire d'avocat pour la cuirasse étincelante (bien que strictement identique) de mon nouveau pouvoir décisionnaire et, pour la rentrée de septembre, je déposai au fond de mon sac tout neuf une boussole en bakélite noire tirée d'un équipement de survie : aujourd'hui encore, je me dis qu'on doit toujours écouter ses instincts, même les moins lisibles.

La petite ville de province qui m'accueillait pour mon premier poste pouvait s'enorgueillir d'avoir un procureur local — mon premier supérieur hiérarchique — reconnaissable de loin : tonsure trapue sur lunettes d'écailles, vestes amples croisées (ou l'inverse), généralement vert bouteille, lie-de-vin ou gris travaux publics. Il s'asseyait toujours jambes ouvertes, comme encombré. Ce nain coloré sévissait depuis une quinzaine d'années, en contradiction directe avec les bonnes recommandations ministérielles sur la nécessaire mobilité géographique des magistrats et, lors de ma visite protocolaire préalable à mon installation, il s'enquit de mes motivations à rejoindre ce grand corps (il parlait ainsi, comme beaucoup, par ellipses poético-professionnelles, pensant sans doute s'ériger à titre personnel par capillarité).

Quand je l'informai que le métier d'avocat m'avait épuisé et que je venais débuter chez lui ma préretraite, je lus dans son regard comme l'éclair d'une intelligence adaptée, peu en rapport avec sa cravate du jour. Une lucarne d'espoir. Je me trompais : des mois plus tard, au firmament de nos contrastes, il me lança un jour avec une sorte de mauvaise jubilation :

— Le procureur général partage mon opinion : cette histoire de préretraite vous pend comme une crotte aux fesses !

Dans le temps millimétriquement suspendu où je l'observai suite à cette remarque, il ne fit que des gestes d'enfant chargé d'embarras, replaçant plusieurs fois ses lunettes sur son nez, déplaçant une pile de feuillets sur son bureau, cherchant à braver mon regard. Outre le fait que j'avais la confirmation directe qu'il aimait bien les fesses (« à cette session d'assises, encore que des histoires de fesses », « sur les comparutions immédiates, il est vraiment temps que le président bouge ses fesses », « ces expertises psychiatriques nous coûtent la peau des... »), je me disais que je tenais enfin une explication sans doute satisfaisante sur sa manière de s'asseoir ; voire peut-être, si j'osais, sur une de ses motivations professionnelles secrètes : le juge est un voyeur légal de l'intimité et les dossiers portent souvent des coups de loupe éhontément intrusifs sur les pratiques humaines. Une sorte de peep-show juridique, en somme, où les fesses font souvent bonne figure.

— Votre sens de l'humour est à la mesure de votre cravate, rétorquai-je en quittant la pièce.

Mes débuts dans la magistrature, à part ça, commençaient à confirmer mes pressentiments : le grand corps se distrayait peu. Il ronronnait comme un gros chat titularisé. Ou souvent, il était distrait par autre chose que sa mission régalienne : la grille indiciaire notamment, ou l'affection pour la hiérarchie. À tous les niveaux. Pas seulement les greffières aux pauses-café, dont les sujets récurrents étaient le président ou le procureur, leurs dernières lubies, leurs photos dans le journal local, mais au cœur même de l'organigramme : j'avais fini par devoir admettre que mon propre supérieur lui-même était amoureux... du sien. Bien que travaillant depuis des années avec lui, après de multiples réunions, repas, conversations, il continuait à donner du « monsieur le Procureur général » avec un ton humide à chaque appel, se redressant sur sa chaise dans un garde-à-vous mental. Il lui faisait l'amour par notes, rapports, dépêches interposés, intransigeant sur l'urgence absolue de chaque envoi, soucieux d'être toujours l'interlocuteur exclusif de ce quasi-dieu de cour d'appel.

Les raisons de cette émotion permanente, je les connaissais depuis mes premiers pas judiciaires, mais sans en avoir jusqu'alors perçu la force générale et émerveillée : les magistrats, les fonctionnaires sont soumis régulièrement à une *évaluation.* Pris comme ça, le mot sonne faiblement et comme administrativement, il ressemble à son objet, mais sa puissance émotionnelle est sans pareille[1].

Le résultat en est fatal : la relation au supérieur hiérarchique oscille entre dévotion craintive et haine farouche, avec les nuances habituelles pour les esprits évolués : amicale camaraderie ou indifférence plus ou moins sincère à l'égard du système.

À titre personnel, cette échelle d'amour vertical m'inquiétait légitimement, et le mode idéalisé de relation entretenu par mon propre supérieur me laissait peu d'espoir sur ma cote. J'étais loin du compte : un an pratiquement après mon intronisation, ma notation fut un règlement de comptes. Je découvris que, faute de porter chaque jour une cravate, je « discréditais l'institution judiciaire ». Ni plus ni moins, et tout seul. Sans compter un manque flagrant d'organisation et des compétences juridiques douteuses.

Le recours (d'honneur !) que je portai devant le procureur général de la cour d'appel me fit toucher du doigt, le jour de ma convocation, ce qu'était matériellement un fantasme. Cet homme, pâle et fatigué, peinait visiblement à incarner l'être visé par l'ardeur érectile de mon chef de service. Il m'offrit une attention précise mais comme alanguie, presque désabusée. Il me réservait quinze minutes au mieux pour justifier mon insoumission, nous restâmes plus de deux heures. Mon recours et le profil de mon supérieur

1. Pour les curieux insatiables de l'anatomie bureaucratique, la mécanique de l'évaluation est déflorée en annexe du présent ouvrage.

local furent expédiés, tout était déjà connu : sa flagornerie, sa fainéantise, ses tenues. Mais je compris (et tout fut ainsi dit) qu'il était tenu pour un bon cadre, à l'obéissance exemplaire. Le reste de notre entretien fut autre et ailleurs, dans une sorte d'affinité intellectuelle instinctive. Ma notation fut révisée, le nain désavoué et, pour un peu, j'aurais soudain positivement intériorisé l'idéologie de l'amour hiérarchique.

La vie d'un parquet provincial est parfois merveilleuse, généralement inconnue de l'état usuel de culture d'un citoyen ordinaire. On y trouve toutes sortes de gens dont l'évolution naturelle est de finir principalement par se ressembler. L'esprit judiciaire est un archétype de l'habitus défini par Bourdieu : le langage codé, le formatage du raisonnement, la soumission forcenée aux statistiques, auxquels s'ajoute une étrange unité des goûts vestimentaires qui démoraliserait même un conservateur des hypothèques. Toute séduction personnelle est assimilée directement à la perversion sexuelle qui hante les dossiers d'instruction ; toute forme de fantaisie prise pour un inquiétant manque de sérieux. À leur décharge, il faut rappeler qu'ils proviennent presque tous des facultés de droit.

La nature presque controversée de mon recrutement — intégration en cours de carrière et non promotion traditionnelle de l'École nationale de la magistrature — me fit incorporer ma première juridiction durant l'été, et non en septembre comme il est d'usage pour les grandes mutations. Mon arrivée fut donc saluée à l'occasion du pot de départ des sortants. Ils étaient trois : le substitut que je remplaçais, un vice-président aux affaires familiales et une juge d'instruction (remplacés, eux, par des nouveaux de septembre).

La petite fête se tenait dans la salle consacrée, où des générations de magistrats et de greffières s'étaient livrées à leurs révérences protocolaires, et qui servait le reste du temps — accessoirement ? — de chambre de délibérés. Pour cette fin d'après-midi, horaire chronique de ce type d'événement, des rais pharaoniques de soleil inondaient la table centrale couverte de petits-fours divers, de bouteilles de jus de fruits, de champagne, d'eau minérale pétillante, et faisaient scintiller en tous sens les particules de l'air en suspension, propres aux rassemblements confinés des mammifères à poil. Le défilé des costumes gris commença, hautement concurrentiel, cadencé de poignées de main lubrifiées, de propos généralement incompréhensibles mais affables, d'odeurs repoussantes sans origine définie, le tout sous le regard bienveillant et respectueux des greffières alignées sur le côté comme des sardines fonctionnarisées et dans une ambiance de conscription joviale. On s'aimait manifestement dans ce lieu et, déjà, on sentait que la symbolique du départ, de la fin annoncée de cette belle histoire collective, pesait verticalement sur les consciences.

Ce frémissement fébrile et mémoriel fut interrompu par l'arrivée dans la pièce d'une tache rouge sombre, suivie de près par un mammouth en pied-de-poule : le procureur et le président, cosuzerains des lieux, venaient proclamer l'ouverture du bal. C'est là que je découvris, pour la première fois, que l'œuvre de sanctification du magistrat sur le départ procède d'un protocole immuable, où toute entorse serait vécue comme blasphématoire : le procureur loue les services accomplis par son substitut, le président par son juge. Qu'importe naturellement toute idée de vérité dans ces choses-là, il faut se quitter bons amis (l'évolution des carrières est tellement capricieuse) et ne pas gâcher la fête. Le procureur prit la parole en premier, après avoir attendu le silence :

— Monsieur Verlan, permettez-moi une première familiarité que nos années de collaboration sauront me pardonner : je vais vous appeler Thierry. Vous êtes arrivé dans ce tribunal il y a trois ans — déjà — le temps passe vite — c'était votre premier poste. Je me souviens de vos premiers pas comme magistrat titulaire, l'émotion que vous manifestiez pour vos premières audiences, et je ne cacherai pas que je pourrais être fier d'avoir été, à cette occasion, un peu votre père professionnel. Cela ne signifie pas pourtant, rassurez-vous, que vous êtes devenu mon fils spirituel (rires vagues). Vous décrire en quelques mots serait impossible, mais ces années passées en votre compagnie, les échos que je percevais sur vous dans l'ensemble du personnel judiciaire m'ont confirmé dans mon sentiment sur vos qualités : votre gentillesse permanente, votre courtoisie, la finesse de vos analyses juridiques m'ont persuadé que vous étiez devenu un magistrat remarquable. Oui, je dis bien remarquable et vous verrez que je ne suis que le premier à le dire. Vous avez donc décidé de nous quitter, pour connaître d'autres cieux, beaucoup plus maritimes qu'ici — mais peut-on faire moins ? (rires vagues) —, de changer de fonction pour devenir juge d'application des peines — ce qui vous permettra, je vous le rappelle, de faire fructifier vos acquis du parquet et de conserver les deux pieds dans le droit pénal pour lequel vous avez montré tant de qualités, mais qui surtout vous permettra de réaliser vos souhaits personnels, de famille, de lieu de vie et de pleine réussite professionnelle...

Pendant qu'il parlait, le procureur cherchait manifestement ses phrases : ses yeux ne regardaient personne vraiment, perdus dans la zone « formalités » de sa mémoire, et lui donnaient un air lunaire ; il se hissait en permanence des talons vers la pointe de ses souliers, au rythme de sa ponctuation, comme si son corps aidait son esprit à s'élever. Il avait machinalement ouvert sa veste rouge et un pan de sa chemise pendait de sa hanche. Surtout, son pantalon noir à pinces révélait une protubérance inquiétante sous la braguette. Pas vraiment comme une érection saugrenue et sauvageonne, mais plutôt comme une sorte de coquille de gardien de but de handball, à l'aspect large et à la présence mystérieuse. À moins qu'il ne s'agisse de calfeutrements médicaux, des manières de doublements absorbants et adaptés de type protège-slip, dans une forme Kangourou uniformisée aux normes européennes. C'étaient les seules explications plausibles que je voyais, sauf à imaginer bien entendu l'hypothèse d'un harnachement sadomasochiste sophistiqué ou d'un éléphantiasis indissimulable.

Je me demandais si j'étais le seul de l'assistance à avoir

les yeux rivés sur l'entrejambe de ce nain ou si je découvrais une célébrité locale, répertoriée déjà dans tous les bons guides touristiques. L'assemblée des femmes semblait s'humidifier dans une chaude communion, chaîne d'attendrissements révérencieux à l'humeur déjà nostalgique, sans qu'aucun regard, malgré mon attention, ne parût s'égarer au-dessous de la ceinture de l'orateur. Je finis mon tour d'observation sur Thierry Verlan qui déjà, précédemment, avait perturbé mon regard de manière inexpliquée alors qu'il écoutait son éloge public dans une pose de poupée russe. De nouveau, mon adaptation visuelle hésita sur lui et je compris le phénomène d'un coup : son costume gris était exactement de la même couleur que le mur du fond. Le bon goût professionnel absolu. Dans une bonne perspective comme la mienne, il se fondait dans le décor. C'était un magistrat réussi ; il avait trouvé le camouflage idéal.

— ... et c'est ainsi que j'ai le plaisir sincère, personnel, mais que je sais partagé par tous ceux et toutes celles ici présents qui vous ont pleinement apprécié, de vous dire, cher Thierry, bonne chance, bon vent et, j'en suis sûr, à nos retrouvailles un jour lors d'une prochaine audience, monsieur le juge d'application des peines !

Les applaudissements nourris de l'assistance accentuèrent un peu le balancement mécanique du nain-éléphant qui s'éparpillait maintenant en grimaces étoilées. Combien de discours de ce genre avait-il pu faire dans sa carrière ? Des dizaines probablement, élaborés, retraités progressivement dans le disque dur de sa tonsure aux fins de correspondre exactement à l'esprit de l'épreuve : ménager l'avenir et consolider l'image du chef.

Thierry Verlan, plus fondu que jamais dans l'invisible, fit un pas en avant : sa réponse était prête, il l'avait préparée toute la journée. Il gonfla lentement ses poumons et s'aperçut, dans l'instant même, de son erreur : le président n'avait pas parlé. Il se dégonfla aussitôt, battit en retraite devant sa faute de goût et, d'un curieux geste du bras vers le pied-de-poule, rétablit par sa soumission publique l'ordre pertinent des choses.

Le président le remercia d'un sourire qui n'existe que dans les sommets. C'était pourtant un curieux être humain : une sorte de monstre broussailleux, au visage de hibou envahi de poils retors et sans couleur, au ventre émancipé de longue date des lois de la géométrie, soutenu par deux immenses bâtons de ski pliés à l'envers, comme les flamants roses. Une bête mythologique, en somme, dont le corps serait à l'abandon. Je me demandai à quoi il avait pu ressembler jeune, s'il avait encore des relations sexuelles et avec quel genre d'entité. Je me dis aussi qu'il aurait pu faire du cinéma italien. L'une des premières choses dont je fus informé, en arrivant, c'était du conflit ouvert qu'il entretenait avec le procureur : la rumeur qu'ils se détestaient m'avait enveloppé comme une fumée dès que j'avais poussé la porte du palais. Elle était installée là, dans les bruits des couloirs, les pauses-café, les esprits eux-mêmes, comme un vrai bonheur de fonction publique.

Il prit la parole, presque péniblement, commençant en toute logique par le vice-président qui quittait non seulement les lieux mais également la fonction ; il était détaché pour un temps comme sous-préfet dans le Massif central. C'est l'un des privilèges des magistrats : pouvoir obtenir des détachements pour quelques années hors des fonctions du grand corps, dans d'autres administrations, des commissions internationales, à l'étranger. Le détaché conserve alors le lien avec son administration d'origine, son traitement (agrémenté, le cas échéant, de quelques primes spécifiques et avec une plus-value indiciaire), puis revient docilement, à terme, s'occuper de nouveau des vols de poules, à moins que d'habiles connexions administratives ne lui permettent de demeurer ainsi, indéfiniment hors-sol.

Le président tutoyait son vice-président, il utilisait une grammaire de complicité, lardée d'anecdotes personnelles et, parfois, il grattait sa barbe touffue, ce qui avait pour effet de lancer autour de lui, dans la lumière éclatante de l'air, un nuage de bactéries volantes qui se doraient doucement au soleil, scintillantes et alanguies dans l'apesanteur, cherchant probablement leur point de chute, de préférence dans les petits-fours. Malgré la pénibilité du discours, je me laissai aller à des rêveries immatérielles sur les souvenirs évoqués, leurs audiences tardives, leurs incidents avec les avocats, les dossiers particuliers (qui ont fait date), mais tout se terminait bien pour eux deux, à chaque fois.

Je me sentais progressivement engourdi dans une quiétude tempérée, comme digestive, où j'espérais qu'ils pussent s'embrasser, à la fin, pourquoi pas sur la bouche, pour rire, ou pour voir de nouveau une nuée d'acariens volants célébrer, comme de petites fées, cette si belle amitié judiciaire. Je voyais que tout le monde semblait content, pénétré comme moi par une douce empathie.

Le président enchaîna ensuite, sans interruption, son hommage à la juge d'instruction qui, elle aussi, nous abandonnait à notre nostalgie. Elle se tenait droite, à côté du vice-président, les deux mains croisées sur son sexe. La décrire m'apparaît impossible encore aujourd'hui : peut-être était-elle mal remise d'une grosse déception sentimentale ou d'un récent stage gothique ? Ses cheveux courts, teintés en noir corbeau, présentaient une frange d'un parallélisme presque anormal avec ses lunettes rectangulaires. Derrière, tapis en caverne, deux yeux verts et fixes venaient justifier le choix de ses chaussures. Entre tout ça : rien. Pas de relief, aucun point où fixer son regard. Une tunique grise qui tombait à mi-cuisses, dont la seule justification ne pouvait être, à mes yeux, que pop art ou hip-hop (je puisais dans mes lacunes culturelles), un pantalon-collant qui moulait ses mollets comme un saucisson de montagne. Du jamais vu, à ma connaissance ; ou un puits d'invention.

Elle nous quittait donc, pour rejoindre un grand parquet de la région parisienne. Elle changeait de camp, du siège au parquet, s'inversait avec Thierry Verlan. Sa réputation comme juge d'instruction m'était également parvenue, je ne sais comment, par la bande. Une terreur. On lui prêtait la capacité de mettre sous pression le juge des libertés et de la détention (ses deux voisins du jour) lors des débats sur la détention provisoire, particulièrement dans les dossiers d'infractions sexuelles. Depuis que la magistrature s'était majoritairement féminisée, la cause des femmes avait connu une plus-value retentissante. Pas celle des prévenus. Dans son discours, le président ne s'y trompait pas : il louait sa « ténacité » ou encore sa « pugnacité ». Son vocabulaire viendrait à manquer pour la décrire précisément. Elle quittait aujourd'hui son premier poste après sa sortie de l'École nationale de la magistrature. Mission accomplie. Elle était un modèle du recrutement officiel.

L'homélie présidentielle connut un succès comparable à celle du procureur (on ne sait jamais). Les trois lauréats du jour balbutièrent à leur tour quelques remerciements plus ou moins audibles, colorés de leur tristesse commune. Ils firent court, sans ombrage (on ne sait toujours jamais). L'heure du champagne avait sonné et, avec elle, celle de la vraie vie : la fonction publique de la justice a à cœur de montrer qu'elle sait s'amuser, malgré les apparences. Non que le gris doive finir nécessairement taché, de vin ou de vomi, mais en vertu du principe sans cesse vérifié que même un jus de fruits peut être agréable, voire deux. L'ambiance glissait donc vers la rigolade.

— Oh, monsieur Vandevelde, stop, stop, vous remplissez mon verre ! Je vais finir pompette, comme la dernière fois, je vous le dis !

— Tant mieux, madame Ziegler, le lendemain, nous avions ri à l'audience, souvenez-vous en.

— Oh oui, je me souviens. C'était cet étranger qui disait toujours « quatre d'identité ». J'ai été prise d'un fou rire, je ne pouvais plus m'arrêter ! Même après qu'on l'a rembarqué dans le fourgon pour sa reconduite à la frontière, je rigolais encore ! En plus, il sentait mauvais ! Vous vous souvenez ?

— Ah, vous savez, madame Ziegler, une garde à vue, c'est pas le Club Med. Ou alors qu'on le dise, que je change à temps mes réservations !

— J'aime bien les audiences avec vous, monsieur Vandevelde. On arrive toujours à s'amuser. C'est vrai, parfois c'est triste, tous ces pauvres types qui viennent se faire condamner. Mais vous savez toujours trouver le bon côté des choses. Mme Strüber me disait la même chose hier. Cela va nous faire un vide quand vous allez partir.

— Bah, c'est pas pour tout de suite. Je viens d'acheter un bungalow sur le lac de Richter. J'ai un peu envie d'en profiter. Et puis, je suis bien avec vous, non ?

— C'est sûr qu'on est bien ici. On a tout. Mme Strüber me le disait aussi hier.

J'étais à côté mais ça ne comptait pas. Ces deux-là n'avaient aucune envie de me connaître. Je me demandais si elle l'avait déjà sucé ou si c'était pour ce soir. Ou peut-être les deux. Je flottais vaguement sur mes sensations, un peu à leur surface mais sans désinvolture excessive, dans les espaces clairs-obscurs de mon nouvel univers professionnel, après quelques gorgées pétillantes et deux petits-fours contaminés. Il faudrait peut-être que je m'adapte à mon nouveau métabolisme de magistrat.

En ma qualité d'arrivant, je me retrouvai rapidement de droit au cœur même de la kermesse, enchevêtré dans les effusions de ces amitiés naissantes, faites principalement d'attouchements sur mes membres supérieurs et d'haleines fétides dans mon nez. C'était mon bizutage. Je me disais que, par défense, je devais impérativement me mettre à péter, et finir la fête allongé sur la table centrale, les bras en croix. Le vice-président s'approcha de moi, avec l'air satisfait du champion qui fait son tour d'honneur. Je vis qu'il avait l'intention lui aussi de me parler de près et, décidé à tout pour éviter ça, c'est-à-dire à n'importe quoi, je levai mon verre pour une boutade complice :

— Ce mousseux tiède est-il vraiment du champagne ? Il y a matière à procès...

Son air surpris me signifia aussitôt mon erreur : c'était lui qui avait fourni l'alcool de la fête. Il haussa les épaules et tourna les talons, comme atteint à titre personnel. Regardant s'éloigner son dos aux épaulettes pointues, je me dis donc que c'était la première et vraisemblablement la dernière fois que je croisais ce type et que j'avais atteint là, dans l'inspiration sublime de l'alcool, l'efficacité idéale des relations sociales.

— Va peut-être falloir travailler l'humour, murmurai-je en extirpant un poil sans couleur d'une mini-religieuse au chocolat ; et, jusqu'à vingt heures au moins, nous nous amusâmes ainsi éhontément dans l'ardente linéarité du cocktail des anecdotes professionnelles et du multifruit vitaminé.

Comme tout nouveau métier, la découverte de l'activité d'un parquet passe d'abord par l'apprentissage de ses codes intimes. Schématiquement, on pourrait dire qu'un magistrat du parquet est un *orienteur* : alimenté par les forces d'enquête nationales (police et gendarmerie, qui relèvent de ministères différents mais sont en voie de fusion) ainsi que par les diverses administrations qui élaborent leurs propres procédures (inspection du travail, concurrence et consommation, équipement, eaux et forêts, affaires maritimes...), il s'honore de donner à chaque dossier une suite judiciaire adéquate, selon la *politique pénale* fixée par le procureur, sous l'égide du parquet général de la cour d'appel. Il est saisi des affaires par deux moyens principaux : soit par courrier (dossiers généralement peu graves et à l'enquête achevée), soit par téléphone dans le cadre de sa permanence (appelée également traitement en temps réel ou TTR). Cette permanence est un haut lieu d'organisation dysharmonique et d'exploitation de l'homme par l'homme : proprement harcelé d'appels ininterrompus de la part de tous les enquêteurs du ressort, le magistrat du parquet doit : donner une suite aux gardes à vue en cours, aux enquêtes préliminaires en phase d'achèvement, au sort des mineurs en fugue, à celui des étrangers en situation irrégulière, se déplacer sur des lieux de crime ou d'événements majeurs pour l'ordre public, se rendre à des autopsies, à des suicides en milieu carcéral, informer sa hiérarchie (procureur et parquet général) de tout fait majeur et, le cas échéant, en faire un rapport, signer toute forme d'autorisation ou de requête (permis de visite, déplacement d'enquêteurs, écoutes téléphoniques...), assurer les déferements d'auteurs d'infractions (ouverture d'information ou comparution immédiate), prolonger les gardes à vue de mineurs, traiter l'exécution de mandats d'arrêt, etc. Victime de son succès, le TTR est devenu une machinerie infernale, sorte d'intense lessiveuse à justiciables et à... magistrats.

Dans ces conditions, ma préretraite s'augurait mal et je ne saisissais pas pourquoi le nain, au lieu de rire de ma remarque et de me coller illico à la permanence, s'en était offusqué. La suite de ma carrière devait me l'apprendre. Pour l'heure, j'apprenais ce qu'étaient la vraie urgence et la soumission à un poste cadencé, où les décisions sur le sort d'un individu se prenaient, sur un mode dégradé, en moins de trois minutes de conversation avec un enquêteur quelconque et souvent inconnu, avec cinq lignes téléphoniques en attente, deux rapports à établir et une incompressible envie d'uriner. Mais, me rassurais-je, n'étais-je pas devenu, par mon nouvel et étincelant statut, un « garant des libertés individuelles » ?

Car c'était bien là, dans cette urgence coagulée, que les choix déterminants de procédures se concoctaient pour l'essentiel, sur les deux critères historiques du parquet : le *trouble à l'ordre public* et la complexité de l'affaire. Si l'affaire était à la fois « grave » et complexe, nécessitant des investigations multiples, comme les trafics de stupéfiants ou les infractions économiques, l'ouverture d'une information pouvait s'avérer opportune. Dans les dossiers graves mais simples, vite résolus en garde à vue, la comparution immédiate dominait. Dans les dossiers ordinaires et simples, la citation pour une audience à quelques semaines était la règle. Pour les deux premiers cas, une détention immédiate était possible, qui s'avérait souvent déterminante dans le choix. Le bon critère du « trouble à l'ordre public » qui, dans le bain tiède de son indéfinition, avait motivé des décennies d'incarcérations, semblait cependant en agonie : depuis une récente loi vertueuse, le concept, jugé trop flou, n'était plus un critère de détention provisoire pour les délits. Mais il le restait cependant, que chacun se rassure, pour les crimes (il est tellement vrai qu'une pénétration sexuelle trouble beaucoup plus l'ordre public qu'un délit d'initié ou qu'une pollution industrielle). Pourtant, à la pratique, je m'apercevais que l'ordre public habitait toujours fortement les lieux et les esprits : sa *protection* était même la première *doxa* du ministère public. La loi qui l'avait pointé du doigt n'avait excisé que la surface des habitudes.

En dehors de sa permanence (une semaine complète, revenant à intervalles réguliers), le magistrat du parquet œuvre à deux types complémentaires d'activité : le travail de bureau et les audiences. Avec le travail du bureau, le rythme se fonctionnarise dans un affaissement salutaire ; il consiste à traiter les piles de dossiers transmis par courrier (c'est-à-dire hors le circuit de la permanence) pour y donner la suite qui convient : classement sans suite, poursuite devant le tribunal ou mesure alternative aux poursuites. Le flux d'arrivée étant ininterrompu, le jeu consiste à piocher dans les piles les plus anciennes. C'est le cœur délicieusement archéologique du métier : avant l'invention du téléphone puis du TTR, les magistrats travaillaient ainsi, à réception du dossier, avec leur petit crayon et le formulaire de la solution choisie. De cette mémoire, il reste un regard sur cette activité qui résiste à l'imperium des statistiques : une urgence indolente, peu vérifiée, à la senteur de champignon.

Le travail de bureau comporte également les règlements des dossiers d'information. Là encore, le poids de l'Histoire est exquisément à l'œuvre. Quand le juge d'instruction a achevé son information au bout d'un, deux (dix ?) ans, il transmet le dossier au parquet qui en fait une synthèse, dans un acte appelé *règlement*. Sa rédaction obéit à quelques lois formelles qui s'enseignent naturellement et dès l'origine à l'École nationale de la magistrature : il faut trouver le ton juste, conforme à l'esprit juridique, et s'émanciper des fautes de goût que les dossiers, pour la plupart périlleusement scabreux, collectionnent avec délice. Ainsi, comme la majorité des procédures d'information concernent des affaires de mœurs, la pénétration de l'être humain est devenue un sujet central d'attention : pénétration vaginale, anale, buccale, avec le sexe ou tout autre objet, simple, double, multiple, directement ou par personne interposée, complète, partielle, digitale, linguale, conjugale, de plein air, inconsciente, intentionnelle ou accidentelle, consentie ou imposée, tentée, abandonnée, imaginaire, fantasmée, oubliée. De nombreux dossiers tiennent exclusivement à ces analyses souvent centimétriques. L'un de mes premiers dossiers à régler donnait à peu près ceci, d'une audition de garde à vue entre un enquêteur et un mari (sous tutelle) accusé de viol sur sa femme :

— Votre femme vous accuse de l'avoir violée vendredi soir, vers minuit, sur le canapé du salon.

— Y a pas de canapé au salon. Y a qu'un matelas par terre, pour regarder la télé.

— Sur le matelas, alors.

— Pas possible. J'y vais jamais, je peux pas me relever.

— Votre femme dit que vous aviez mis un film pornographique et que vous vous êtes allongé sur elle.

— Pas possible. Avec mon ventre, si je m'allonge sur elle, je peux pas rentrer.

— Rentrer ? Vous voulez dire votre sexe ?

— Votre... ?

— Votre sexe, votre verge.

— Ma vierge... ? Non, je peux pas quand je suis sur elle.

— Votre femme dit que vous avez ouvert sa robe de chambre et que vous l'avez pénétrée.

— Dans la chambre ? Faudrait savoir.

— Dans le salon. Elle dit que vous avez ouvert sa robe de chambre, que vous vous êtes allongé sur elle et que vous l'avez pénétrée.

— L'avez... ?

— Pénétrée, avec votre sexe.

— Pas possible. Quand on fait ça, elle vient sur moi, sinon on peut pas. Ma vierge est trop sous mon ventre.

— Vous ne vous allongez jamais sur elle alors ?

— Non, je vous dis. Je peux pas rentrer et je peux pas me relever.

— Pourquoi vous accuserait-elle alors ?

— À cause de la voisine, sûrement. C'est ça.

— La voisine ?

— Oui, du dessous. J'ai eu une histoire avec elle et Nadine le sait maintenant, je sais pas comment.

— Selon vous, votre femme vous accuserait de viol à cause de cette histoire avec la voisine ?

— Oui. Demandez-lui à la voisine du dessous, vous verrez bien qu'elle est venue dessus avec moi.

— Votre femme a produit des certificats médicaux mentionnant des hématomes sur les bras.

— Des... ?

— Des bleus, sur les bras.

— Des bleus ! Mais elle en a partout des bleus. Elle marque comme une grosse vache, dès qu'elle s'assoit elle se fait un bleu. Elle est bleue de partout, ça veut rien dire.

— L'examen gynécologique fait état de marques récentes de pénétration, pouvant correspondre aux faits dénoncés.

— Aux... ?

— L'expert dit que votre femme a été pénétrée par le sexe autour de vendredi dernier.

— Non ? La salope !

— À quand remonte, selon vous, votre dernier rapport sexuel ?

— Votre... ?

— Quand avez-vous fait l'amour avec votre femme, la dernière fois ?

— Y a... un mois, ou plus. La salope !

— Pourquoi dites-vous cela ?

— La salope !

— Persistez-vous à nier les faits dénoncés par votre femme ?

— La salope !

Quelques semaines après la plainte et l'ouverture de l'information, le résultat des analyses ADN des échantillons prélevés sur la victime confirmait la mise hors de cause du mari. Après plus d'un mois de détention provisoire, celui-ci était donc libéré, sans excuses particulières mais avec quelques kilos en moins. Mon règlement fut donc lapidaire : un non-lieu penaud, mais au formalisme irréprochable.

Un autre exercice de voltige concerne la fellation. Ah, la fellation ! Les hauts magistrats de la cour de cassation ont consacré un moment de leurs souvenirs pour la définir comme un viol imparable : dès que le sexe de l'auteur entre dans la bouche de la victime sans son consentement, il y a pénétration criminelle. En revanche, l'inverse n'est pas vrai : un homme victime de recevoir une fellation à l'insu de son consentement (?) ne se voit reconnaître qu'une agression sexuelle : il n'a pas été pénétré.

Les dossiers d'information regorgent de fellations en tout genre, plus ou moins enviables : à la cave, au grenier, à côté de la grand-mère qui dort, fréquemment en voiture (alors déjà que l'usage du mobile est interdit), à la va-vite ou en famille, avec éjaculation, ou sans, ou sans réponse sur la question (?). À bien y réfléchir, la fellation est plus difficile à rédiger qu'à subir : elle nécessite des contorsions stylistiques peu en rapport avec les dossiers. On pourrait croire que l'usage tendrait vers une sorte de neutralité purement descriptive : « Alors qu'il se trouvait seul avec sa victime dans l'escalier qui mène aux caves collectives de la résidence, M. X lui a soudainement imposé une fellation. » Cependant, si le dossier se résume à cet acte unique, ce type de formulation sonne un peu court, surtout si une mise en accusation devant la cour d'assises est envisagée. Il faut donc l'entourer de précisions en tout genre. Cela tombe souvent bien : les dossiers d'enquêtes sont extrêmement complets sur la question. La fellation exerce une véritable fascination, une emprise sur les esprits, un nuage de détails fleuris vient généralement la représenter : combien de temps a-t-elle duré ? Le sexe était-il en érection, est-il bien rentré ou l'avez-vous juste léché ? Y a-t-il eu utilisation d'un mouchoir ? Et surtout, y a-t-il eu éjaculation ? Et où : dans la bouche, sur le visage, sur les vêtements, par terre ? Vous êtes vraiment sûre qu'il n'y a pas eu d'éjaculation ? L'aurait-il fait, tout seul, à côté, sans que vous vous en aperceviez ?

À l'évidence, une fellation sans éjaculation ressemble toujours à une figure incomplète, une sorte d'acte manqué qui laisse l'observateur futur dans un état d'insatisfaction personnelle. Le droit lui, pourtant, n'en a cure : l'éjaculation n'ajoute rien à la pénétration coupable mais, lors du procès qui suit, si rien n'a encore été précisé, il est systématique que la question de l'éjaculation surgisse, apodictique, indispensable à l'édification de tous, décisive sur le terrain de la peine. L'éjaculation est au sexe ce que la nourriture est à la faim : sa figure de sens.

Alors le magistrat du parquet qui rédige son règlement navigue à vue entre cet enchantement collectif et le souci de ne pas humilier la victime. Voici comment un dossier se présentait, dans l'audition de garde à vue :

— Mademoiselle, qui est M. X pour vous ?

— Un copain. Je le connaissais du collège.

— Et M. Y ?

— Mon copain. Je suis avec, quoi.

— Vous avez déclaré que, le jour des faits, les deux étaient présents dans votre chambre et que M. X vous a demandé de lui faire une fellation.

— Oui, il avait sorti son... sexe de son pantalon.

— Et M. Y ?

— Aussi.

— Aussi quoi ?

— Il l'avait sorti aussi.

— Les deux avaient sorti leur sexe ?

— Oui. Ils rigolaient en me demandant de les sucer.

— Qu'avez-vous fait ?

— Bah, je les ai sucés. Ils voulaient.

— Et vous, est-ce que vous le vouliez ?

— Bah, je ne sais pas. Ils m'ont pas demandé. Hervé X s'est approché et m'a mis son sexe dans la bouche en rigolant. Il bandait pas trop, j'avais l'impression de gonfler un ballon.

— Est-ce que vous avez dit non ou manifesté votre désaccord d'une façon ou d'une autre ?

— Bah, c'était pas facile, Hervé me tenait la tête. Je voudrais vous y voir.

— Et M. Y, qu'est-ce qu'il faisait pendant ce temps ?

— Il rigolait, je crois. Et il s'est approché aussi.

— Qu'avez-vous fait alors ?

— Bah, je l'ai sucé aussi. On voyait bien qu'il voulait.

— Est-ce qu'ils vous ont forcée à le faire, en vous tenant de force ou en vous menaçant ?

— Euh, ils rigolaient et Hervé me tenait la tête.

— Cela a duré combien de temps ?

— Je sais pas, moi. Plusieurs minutes. Je voyais bien qu'ils n'allaient pas tenir très longtemps.

— Est-ce qu'un des deux a éjaculé ?

— Bah, ils ont pas eu le temps.

— Pourquoi ?

— Parce que mon père est entré dans la chambre et nous a vus. Il s'est mis tout de suite en colère et les a virés. Il a porté plainte derrière.

— Mademoiselle Z, vous avez seize ans, vous comprenez que c'est un âge où vous pouvez clairement manifester votre désaccord pour de telles choses. Pensez-vous avoir été abusée par les deux mis en cause ?

— Euh... Moi, je pensais pas que ça allait finir comme ça.

— D'accord. Mais est-ce que vous avez dit à MM. X et Y que vous ne vouliez pas faire ça, en tout cas de façon suffisamment claire pour qu'ils le comprennent ?

— Euh, je sais pas. J'étais un peu surprise, c'est sûr.

— Est-ce que vous l'aviez déjà fait avec votre ami, M. Y ?

— Bah oui, plein de fois ; il aime bien.

— Est-ce que vous utilisez habituellement des préservatifs ?

— Bah non, on est les premiers l'un pour l'autre.

— Est-ce qu'à titre personnel, vous désirez porter plainte contre MM. X et Y ?

— Bah... non. Tout ça c'était un peu pour rire, c'est vrai. Mais mon père, lui, il ne rit pas du tout.

Dans son bordereau de transmission du dossier au parquet, l'enquêteur résumait ainsi l'affaire : « Les deux auteurs, mineurs de 17 ans, ont imposé des relations bucco-génitales à la victime, âgée de 16 ans, dont le refus ne semble pas avoir été exprimé clairement. L'infraction D'ATTEINTE SEXUELLE SANS VIOLENCE SUR MINEUR DE PLUS DE 15 ANS semble constituée. »

Merveilleuse rhétorique pénale, résumée en deux phrases, qui ne connaît pas d'autre vocabulaire que ces outils purement répressifs : les mots « imposé », « auteurs » et « victime » sonnent comme le glas du consentement pourtant affiché. Les procès-verbaux d'enquête se ressemblent tous : ils s'emploient à trouver coûte que coûte une qualification pénale, même secondaire. La loi le permet aisément, le code pénal est un grand marché à ciel ouvert où il suffit de piocher : tous les comportements humains y sont répertoriés. Prenez votre véhicule et faites un tour en ville : les infractions que vous commettrez sont inimaginables (les priorités, les distances à respecter, les clignotants...). Le citoyen moderne est un être en faute permanente. Mais il adore ça : il en redemande par des lois de plus en plus dures. Il s'est même mis à entretenir avec les radars automatiques une relation passionnelle.

Dans ma décision, les fellations bucco-génitales à tendance orale se métamorphosèrent avec empressement en « infraction insuffisamment caractérisée », un pschitt final sûrement non conforme à la politique pénale en vigueur (qui déteste les classements de ce type) mais qui n'appela aucune réaction de la part du père dont l'honneur et l'autorité se suffisaient à l'évidence de la seule plainte.

Au quotidien, les relations interpersonnelles du parquet s'élaboraient dans une permanente complicité de cafétéria administrative : c'est que mes collègues de travail nourrissaient une satisfaction stable et structurelle pour leur activité, pour leur sort en général, que rien ne semblait pouvoir entamer. Ils étaient trois, issus tous de l'École nationale de la magistrature, et comme tels je les avais découverts corrélativement heureux.

Nos bureaux communicants s'alignaient en arc de cercle autour de celui de notre chef bien-aimé, séparé par un couloir, et celui de Thierry Verlan que je remplaçais se trouvait opportunément en bout de course. Je compris rapidement que mon application à fermer mes deux portes pendant la journée avait porté un mauvais coup, maladroit, à l'esprit d'équipe. Ma voisine immédiate était une fille étrange : son bureau sentait inexplicablement le poisson et de multiples peluches (nounours, chienchiens en tout genre) garnissaient son espace. Avant que je ne ferme définitivement la porte nous séparant, je l'entendais soupirer à espaces réguliers, convulsivement, comme si elle jouissait. Inquiet au début, je compris que c'était en réalité un tic participatif : elle prenait régulièrement fait et cause pour les justiciables de ses dossiers et saisissait alors son stylo pour remplir rageusement, d'une écriture pointue, son formulaire de décision. Je lui trouvais un air de rumination têtue, presque fiévreuse et, plus tard, à chaque fois que j'entendais sa forme de vie bureaucratique, c'est-à-dire ses longues expirations traversant les murs, j'étais saisi d'une angoisse sèche : j'avais appris que ses manifestations d'émotion étaient fondamentalement, obsessionnellement, idéologiquement, d'origine féministe ; la cause des femmes habitait son énergie professionnelle, d'une manière dévotement compassionnelle. Et le procureur avait eu le bon goût de lui confier le service des atteintes aux personnes, c'est-à-dire des violences et des mœurs. Autant confier les clés d'une banque à un braqueur. Le massacre était en piste, ronronnant, légal, conforme à l'esprit du siècle : toutes les plaintes de femmes, même les moins étayées, les plus farfelues, aboutissaient directement devant le tribunal, avec la bénédiction bienveillante de la hiérarchie tout à ses statistiques ministérielles. À l'audience, un dossier sur deux s'effondrait, lamentablement, dans la colère des avocats qui dénonçaient haut et fort l'inanité aveugle et répétée des poursuites. Mais, quand elle venait elle-même soutenir l'accusation à l'audience, ma collègue-voisine offrait le visage clos et volontaire de la transcendance judiciaire, affichant une vision qui allait au-delà des faiblesses du dossier : la défense du prévenu ne venait-elle pas par elle-même confirmer, s'il en était besoin, la réalité obstinée des infractions poursuivies et, d'une manière générale, les violences habituelles faites aux femmes ?

Dans n'importe quel milieu adapté, les fous sont repérés et éliminés des champs de décision. Dans certains milieux professionnels, à syndicalité plus sensible, ils sont reconditionnés vers des emplois plus ou moins fictifs. Dans la justice, ils en prennent à leur aise. Au parquet en particulier : si la folie singulière d'un de ses membres présente l'avantage qualitatif de s'entrelacer habilement avec l'esprit demandé — une bêtise sans pitié et une méchanceté de structure —, son œuvre est quasiment indétectable. Au contraire même, ce type de déraison vacante provoque, dans la bienveillance maternelle de l'institution tout entière, une élévation commune du goût pour la répression jusqu'à son point sublime d'ontologie, d'enchantement, d'encouragement : les chauffards ont les clés du rouleau compresseur.

Dans la naïveté de mes débuts, je décidai rapidement de m'ouvrir de cette difficulté au substitut d'un des bureaux du milieu ; c'était un garçon à la courtoisie observable, doté d'une tête d'imprimante : une figure anormalement rectangulaire, surmontée d'une houppe rousse et avec une langue sortant en permanence comme une recharge à papier. Ses trente-cinq ans en paraissaient cinquante. Il s'appelait Stanislas Wanz. Alors que son costume gris jaunet luisait tendrement dans la lumière pâle de la fin de journée, je l'abordai avec un ton de complicité personnalisée :

— Dis donc Stanislas, lui dis-je, tu ne trouves pas que Valérie est un peu... excessive dans ses poursuites ?

Il me regarda avec un air surpris. Entre deux coups de langue, ses petits yeux noirs firent deux tours complets ; il donnait l'impression d'être sur le point d'imprimer. Mais il sourit avec une sorte de douceur verdâtre : « Valérie... ? » Il essaya de me dire quelque chose d'autre mais, dans un haussement pauvre des épaules, sembla renoncer. Ce qu'il avait à dire était-il trop personnel, ou au-dessus de ses possibilités ? Je m'apercevais que j'ignorais tout du lexique des conduites internes de ce milieu, des considérations à tenir à l'égard du métier en général, des collègues en particulier. Je n'avais senti aucun esprit de corps dominant chez les magistrats, mais cette petite équipe du parquet était peut-être tenue par des liens souterrains et intimes.

— ... Elle est complètement à la masse, conclut-il.

— Oui, c'est bien ce que je pensais. Mais tu ne trouves pas ça préoccupant, toi, de laisser cette fille tranquillement s'acharner sur n'importe quel individu de genre masculin ?

Il haussa de nouveau le buste ; les épaulettes de sa veste firent deux cornes fluettes, de style chinois. Visiblement, à titre personnel, il se foutait de la question.

— Il y a six mois, le procureur l'a convoquée. Il lui a dit qu'il faudrait peut-être qu'elle poursuive avec un peu plus de « discernement », qu'il y avait trop de relaxes aux audiences. Elle est venue me voir directement ensuite, au bord de la crise de nerfs. Elle se sentait meurtrie dans sa conscience professionnelle et nous a tous traités de machos. Évidemment, elle a continué de plus belle et maintenant, elle nous fait la gueule...

Les relaxes ! Voilà donc une belle explication : pour des types comme le procureur, la relaxe d'un prévenu était un échec insupportable, une humiliation, presque une faute professionnelle. Se réjouirait-il qu'un homme puisse démontrer son innocence ou que son avocat sache convaincre le tribunal des erreurs du dossier ? Jamais : c'était une tache dans les statistiques. À chaque fin d'audience, il se faisait remettre la feuille des décisions rendues. Pour chaque relaxe, il exigeait la communication du dossier, en analysait les raisons, convoquait éventuellement le substitut de l'audience pour en discuter, voire le sermonner comme un enfant, appelait parfois le parquet général pour envisager un appel contre l'affront subi. Chaque coup d'épée du parquet devait faire mouche, par principe, par honneur. L'avocat ne pouvait avoir aucun rôle déterminant sur cette question ; tout au plus l'obtention d'une maigre diminution de peine lui était-elle tolérée, et encore : un trop grand décalage entre la peine requise et celle prononcée serait encore un désaveu pénible pour l'accusation. À l'audience, n'étaient cités forcément que des coupables désignés, convaincus, définitifs ; pour un pur moment de formalité confirmative et... d'exécution sommaire.

La petite troupe du parquet marchait de ce même pas alerte et dogmatique, fascinée chaque jour par un si beau pouvoir d'influence. Les « réunions-parquet », chaque mercredi en fin d'après-midi, célébraient cette communion d'intérêt si supérieure, comme un état-major à l'affût chargé de désigner — pour mieux les éradiquer — les éternels adversaires de l'ordre public : la délinquance protéiforme d'abord, mais aussi les juges du siège trop mous, les avocats retors ou incompétents — on riait entre soi de certaines de leurs prestations —, le président décidément trop con.

La réunion-parquet était, à chaque fois, le lieu concentré de la spiritualité moderne du ministère public : le procureur jubilait toujours de ce moment où il pouvait soupeser d'un regard tout son effectif opérationnel et mesurer à quel point chacun, autour de la table ovale, comme les chevaliers du roi Arthur, s'unissait aux autres dans l'œuvre collective de la répression publique. On voyait que c'était toujours un moment agréable pour lui et, à l'observer ainsi, assis les jambes écartées, je me disais que son confort véritable serait sans doute de pouvoir inverser sa chaise, de s'installer bien ouvert face au dossier, voire de déposer une joue sur son rebord pendant qu'il nous parlerait, avec une sorte d'abandon de l'âme, des joies de la poursuite judiciaire. Bien sûr, l'idée qu'il se faisait de son pouvoir lui interdisait ce type de plaisir public, mais peut-être parvenait-il à se l'accorder quand même chez lui, pendant les repas de famille ou près du feu, le soir, qu'il se mettait alors en slip, voire torse nu, dans une espèce de liberté clandestine et ménagère qui lui permettait de garder ses chaussettes, et qu'il s'abandonnait longuement, par un jeu latéral des élastiques de son sous-vêtement, à l'émotion douce et contenue d'une circulation d'air finement sexualisée.

Je me disais que j'allais longtemps rêver, durant les mois à venir, à percer le mystère de ce bas-ventre incongru et envahissant, comme un devoir de vérité que m'imposait l'œuvre de justice m'enveloppant désormais ; et qui me le rendrait, un jour, sûrement.

Pour le moment, au cœur de cette messe hebdomadaire, j'observais vaguement Stanislas Wanz, assis à ma droite, qui léchait par à-coups nerveux son espace aérien immédiat : c'était sa manière un peu canine d'être là et, finalement, de nous rassurer : c'était bien lui, il n'avait pas changé, ses tics — et les choses de la vie en général — étaient toujours dans le même désordre stable. Peut-être aussi voulait-il par là signifier au groupe sa solidarité indéfectible, sa fidélité de chevalier, mais je sentais pourtant que sa présence, malgré tous les efforts qu'il déployait, souffrait d'une sorte d'insuffisance structurelle. La raison m'en avait sauté au visage dès la toute première réunion-parquet : elle tenait à la présence d'un troisième larron, qui s'appelait Hervé Rident, substitut ici depuis quatre ans, doyen donc de l'équipe des fidèles. Au sein de ce parquet, ce garçon était en pays conquis et entretenait avec le chef des relations privilégiées : ils se ressemblaient étrangement et se renvoyaient à l'évidence l'un à l'autre une image rassurante de soi dans un autre âge. Dès le début, j'avais même senti que cette filiation naturelle tendait un fil de crin dans les relations au cœur de la petite équipe : Hervé Rident avait la décontraction du fils préféré et en prenait à son aise, surtout depuis que sa première évaluation avait confirmé chez lui le patrimoine qualitatif d'un magistrat sûrement exceptionnel : ressemblance physique troublante, conformité esthétique et onctuosité hiérarchique.

Cette paire harmonieuse tenait les deux autres subalternes dans une humiliation permanente d'imperfection professionnelle et il ne faisait aucun doute que j'étais convoqué, dans les plus brefs délais, à m'assimiler activement aux dominés. Les premiers échanges n'avaient eu à l'évidence que ce but :

— Bon, fit le procureur, la loi du 15 juin a transformé la garde à vue de manière importante. Nous devons dorénavant y être systématiquement vigilants. Monsieur Rident, voulez-vous nous en résumer les grands principes ?

— Oui, monsieur le procureur. Bien, schématiquement, les règles de notification des droits du gardé à vue, au tout début de la mesure, ont été renforcées. Les officiers de police judiciaire doivent y procéder sans délai, au risque de nullité de toute la garde à vue. Rendez-vous compte : dans la langue de l'intéressé, y compris pour les sourds-muets. Pourquoi pas en braille, tant qu'on y est ? L'avocat doit être avisé immédiatement, au plus tard dans l'heure. Quand on voit à quoi il sert... Je vous ai fait un résumé écrit de toutes les obligations, que je vais diffuser ensuite, pour mémoire, aux services concernés.

— Bien, dit le procureur. Comprenez tous que cela entraîne maintenant une modification majeure : la garde à vue est vécue désormais comme un moment de protection, avec tous ses droits. Si une audition est prise en dehors, on pourra nous le reprocher et soutenir que l'intéressé n'a pas pu comprendre ou se défendre correctement. Moralité : la garde à vue doit devenir systématique. La validité des procédures risque d'en dépendre, il nous appartient d'y veiller.

Du coin de l'œil maintenant, j'observais la Valérie, assise à ma gauche, qui se tenait droite sur sa chaise, vigilante à ne pas se faire pénétrer à l'improviste ; sa coupe de cheveux à la Stone et ses lunettes rondes lui donnaient un drôle d'air effaré, une sorte d'air de dorade grillée, qui s'aggravait inexplicablement dès qu'elle revêtait la robe noire. De profil, elle dévoilait un timide prognathisme qui, d'un point de vue purement géométrique, tirait une ligne imaginaire entre ses lèvres et son front sans couper le nez. Petite, elle avait sûrement dû en tirer un motif de fierté, voire d'agrément auprès des garçons.

À ce moment, à la seconde précise, la question qui se posait à moi était la suivante : comment parvenir à la mettre dans mon lit sans une quelconque étape préalable de séduction (car il me paraissait important d'échapper à toute forme de détresse prévisible, voire surajoutée) ? Bien sûr, une autoanalyse rapide et personnalisée m'indiquait que cette idée saugrenue — celle d'envisager une manière de lien génital avec un poisson grillé — avait surgi parce que je me rappelais avoir senti chez elle un trouble fugace quand nous avions été présentés l'un à l'autre, comme futurs collègues : elle avait fui mon regard, mais pas plus cependant que dans le grand ordinaire de la féminité.

Je me disais en réalité, à l'avoir entendue soupirer à travers notre cloison mitoyenne, que, pour optimiser désormais l'efficacité de ma séduction, je devais impérativement m'efforcer de représenter dans son esprit (par mon image masculine d'une maturité intermédiaire) une aspiration déconstruite de l'homme-animal : une proximité professionnelle irréprochable, des intentions fortement paritaires et un pénis plutôt bienveillant. La tâche à accomplir était lourde, je le savais, mais le prix de ma transfiguration était celui à payer pour une vraie surprise sexuelle sans risque excessif de dépression. Je me sentais étonnamment résolu : alors que mon genou gauche avait touché le sien (droit) à deux reprises et qu'elle était à chaque fois revenue en l'état initial après un léger recul, je m'aperçus que le procureur m'interpellait :

— Des questions, monsieur Lanos ?
— ... Qu'en pense votre femme ? fis-je au hasard.
— Ma femme ?
— Oui, de tout ça.
— Qu'est-ce que ma femme a à voir ici ? demanda-t-il avec un sourire complice et carnassier vers son clone ; ils se réjouissaient déjà de tenir entre leurs mains un être faible comme moi, qui allait les conforter pour un temps dans leur normalité réussie.
— Eh bien, elle est directement concernée, je trouve, enfin comme chacun d'entre nous, mais puisque c'est de votre femme qu'il s'agit, j'imagine que son avis vous serait plus... proche.
Le sourire du procureur se crispa sur une longue lueur d'inquiétude : il n'aimait pas qu'on parle de sa femme, ou n'aimait pas en parler, ou n'aimait peut-être pas ma manière d'en parler.
— Excusez-moi, monsieur Lanos, mais je ne comprends pas ce que vous dites.
J'observai circulairement la fine équipe : la dorade, l'imprimante et l'héritier me jetaient un même regard fixe et inquiet. Visiblement, ils n'avaient aucune expérience personnelle de l'absurde qui, c'est vrai, ne s'apprend à l'École nationale de la magistrature qu'au second degré.
— Monsieur le procureur, si votre femme, garant sa voiture un jour de marché, éraflait un autre véhicule sans s'en apercevoir et quittait les lieux, mais qu'un témoin bien intentionné (comme ceux qui fournissent la moitié des dossiers de ce tribunal) relevait son numéro et la désignait

comme auteur d'un délit de fuite, croyez-vous qu'elle serait contente de finir *systématiquement* en garde à vue pour la préservation de ses droits ?

— ... ?

— Si par ailleurs votre grand fils se retrouvait accusé de viol par une cinglée notoire, après qu'il a eu la mauvaise idée d'aller la pénétrer en dégrisement de discothèque, pensez-vous que votre femme serait contente de la garde à vue systématique qui s'ensuivrait ?

— ... ?

— Si votre second fils, rentrant soûl d'une soirée avec ses copains, s'appuyait contre la vitre d'un abribus qui explosait d'un coup et qu'un témoin bien intentionné (le même que pour votre femme) les dénonçait comme des hooligans sans foi ni loi, votre femme serait-elle contente de la garde à vue systématique de son fiston pour dégradation de bien public ?

— Mais, monsieur Lanos, vous ne pouvez pas raisonner comme ça !

— Ah, pourquoi ?

— Parce que vous personnalisez votre activité et perdez de vue l'intérêt général.

— Pourquoi ?

— Pourquoi, pourquoi ? Mais parce que vous ne pouvez pas traiter tous les dossiers comme si c'était votre famille. Vous n'en finiriez pas !

— Ah... ? Pourquoi ?

— Je vais vous dire une chose, monsieur Lanos. Si mes fils étaient accusés comme vous le dites, je trouverais que la garde à vue est une bonne chose pour qu'ils rétablissent la vérité.

— Ah ? Pendant combien de temps ? Vingt-quatre heures, quarante-huit heures ? Et est-ce que, dans le doute qui surgirait rapidement sur leur culpabilité, une simple audition hors garde à vue ne serait pas suffisante ?

— Monsieur Lanos, je reconnais bien là vos réflexes d'ancien avocat mais, maintenant, vous êtes un magistrat du parquet. Les gardes à vue sont une nécessité dans la plupart des cas et je ne suis pas sûr que vos exemples soient bons. Et puis, être relâché à l'issue d'une simple audition ou d'un début de garde à vue, je ne vois pas trop la différence.

— Quelques heures, voire beaucoup plus dans les moments de grande affluence. Avez-vous déjà fait personnellement l'objet d'une garde à vue, monsieur le procureur ?

— Évitez ce genre de chose avec moi, monsieur Lanos, je vous en prie !

— C'est ce que je me disais... Moi, oui, pour une manifestation d'étudiants à laquelle je ne participais pas. J'ai été pris dans la rafle. J'invite chacun à connaître cette expérience personnelle : la suavité de l'ambiance, les bonnes odeurs, la courtoisie des auditions, la sincérité des excuses finales...

Le procureur me regardait d'un air toxique ; plus que jamais, il haïssait ce que j'étais : j'avais mauvais esprit.

— Si cette fonction vous déplaît tant que ça, vous pourrez toujours démissionner, monsieur Lanos.

— J'aviserai, naturellement, fis-je en quittant la séance et le genou de ma voisine.

Le soir même, vers 22 heures, deux mineurs étaient placés en garde à vue pour dégradations volontaires de bien public : leur scooter avait, après un dérapage, percuté un véhicule de police. L'enquêteur me rendait compte de l'affaire le lendemain matin vers 11 h 30 : aucun caractère volontaire n'était établi. Pour ce simple accident — hautement suspect ! — treize belles heures de garde à vue, à jamais évaporées, s'étaient écoulées dans l'espace-temps soyeux de l'ordre public.

J'attaquai la Valérie dès le lendemain matin, tout auréolé de mon irrespect sacrificiel. Je lus dans ses yeux une lueur d'intimidation confirmative. Dans ces cas-là, il ne faut jamais hésiter : une femme ne doit pas construire la moindre idée rassurante, se renverser avec vous dans une amitié prompte et veloutée comme dans une chaise à bascule. Je contournai son fauteuil et, par-dessus son épaule, à son oreille, je lui demandai si mon départ de la réunion avait suscité des commentaires. Je me dis intérieurement qu'il faudrait d'ailleurs que je cesse cette manie de quitter ainsi tout lieu déplaisant, même par esprit de pacification. Elle prit sa respiration et, au même moment, je déposai dans son cou décharné un petit baiser, puis un autre plus allongé. Elle resta coite, stupéfaite, se laissant faire. Au troisième baiser, je sentis qu'elle tournait la tête vers moi et je l'embrassai alors directement sur la bouche. Tout alentour sentait le poisson, même son haleine. Je me serais cru à la criée dans un petit port breton de mon enfance. En quelques secondes, elle m'offrit même sa langue. Je la mâchonnai vaguement comme un bâton de surimi puis me redressai pour masser ses épaules en silence, comme rempli d'émotion à partager ; gagnant la sortie vers une atmosphère plus salubre, je lui dis : « On se voit ce soir ? » Elle opina simplement du chef, ce qui était déjà nettement trop. Dans tous les coins de la pièce, les peluches posées ou pendouillantes me signifiaient leur jalousie collective, comme les particules hirsutes d'un surmoi pubien atomisé.

La soirée s'annonçait pourtant belle. La Valérie aussi, à distance. Sa tenue de circonstance tenait en une robe... avec du tissu et des manches. Pendant le repas, elle m'apprit un tas de trucs intéressants sur ses études de droit à Lyon et sur les professeurs agrégés très reconnus qu'elle avait pu admirer. Sur les peluches, elle donna assez peu d'explications : elle les aimait depuis toujours car elles la faisaient *rire*. Après quelques gorgées de bière, elle minaudait dans des abandons solitaires et soudains, dépourvus de raison d'être ; manifestement, elle se sentait bien. À la fin du gobelet, deux moments forts de son propos s'élaborèrent tour à tour : d'abord, l'évocation de ses années de formation à l'École nationale de la magistrature ; tout laissait y paraître un point supérieur de sa vie, sa voix même en tremblait, comme dans certaines commémorations du débarquement de 1944 : l'amphithéâtre, la salle de la tour, le jour de la répartition entre eux des postes offerts, l'arrivée des nouvelles promotions... Ensuite, un nouveau venu fit son apparition : son « copain ». Elle m'en parla comme si elle tentait, de mémoire, de me situer l'Uruguay sur la carte mondiale, avec l'air qu'elle devait avoir pendant ses oraux d'examen. C'était le fameux copain des filles, dont l'usage m'apparut toujours dans son beau mystère grégaire : était-ce pour dissuader mon enthousiasme ou pour exciter mon aptitude anthropologique à la compétition ? J'opinai vers elle avec application, cherchant à la dérobée tout signe distinctif qui m'aurait indiqué l'emplacement de ses seins ; je dus abandonner, faute d'indice. C'était peut-être de sa part un jeu érotique : ils étaient cachés, je les trouverais plus tard, repliés par exemple derrière les genoux.

Au bout d'une heure dans la salle en mezzanine du MacDo, côte à côte sur une longue table-comptoir en surplomb des caisses, je savais déjà pratiquement tout du bouleversant curriculum vitae de mon imminente partenaire sexuelle, où les rubriques personnelles et professionnelles s'enlaçaient étrangement. J'abrégeai ce festin préliminaire et, dans la voiture, par un jeu d'adresse vague et primitif, j'eus la confirmation qu'elle habitait seule dans un petit appartement en centre-ville, dans une résidence sécurisée. J'étais civilisé, je ne voulus pas la mettre mal à l'aise avec un dernier verre : je la culbutai en conséquence sur le siège passager de velours reconstitué, piqué de discrets losanges orangés, caractéristiques du design sportif — version customisée — des véhicules de série des années quatre-vingt. Je sentais pourtant que, dans mes bras, elle nourrissait déjà sur cette soirée une forme de désappointement, comme un espoir intime déclassé, mais le Sloogy blanc que je découvris sous la robe emporta d'un coup l'idée même de l'éventualité de mes scrupules. Pendant que je la pénétrais, en regrettant pour mes genoux de n'avoir pas passé l'aspirateur depuis plus de quatre ans, deux constats mentaux m'envahirent, sans rapport nécessaire l'un avec l'autre sauf peut-être pour un psychanalyste : le premier était que, vue ainsi du dessus, dans une sorte de contre-plongée latérale, la ligne imaginaire reliant le menton et le front de ma partenaire se trouvait fortement matérialisée par les lunettes. Et je compris que cette impression d'unité géométrique rectiligne tenait au fait qu'elle possédait un nez cassé, comme un vieux boxeur, avec cette concavité intermédiaire dans laquelle l'arceau central des lunettes venait s'emboîter, d'une manière étrangement idéale, comme dans un fauteuil pour cheminée et dans une aisance lecorbusienne que seules devaient connaître entre elles les pièces d'un puzzle. Une sensation d'apaisement m'envahit inexplicablement. Le second constat était que, après deux contrôles patients et réglementaires, les seins avaient bel et bien disparu. Il n'en restait que la trace au sol, faibles empreintes archéologiques pouvant témoigner de l'existence d'autres mondes habités. Mon espoir enfantin de les trouver s'était lui aussi envolé, après une ultime recherche dans les chaussures.

Aussi, dans ce temps suspendu de mes sensations, laissées vacantes par l'usage d'un préservatif, dans cet espace immobile (bien que puissamment motorisé puisque par ailleurs je pouvais atteindre, bien lancé, les 140 km/heure) qui dessinait sur les vitres embuées notre intime proximité, je fus traversé par un instant de révélation professionnelle : chez les magistrats, tout était plat, le tronc comme la gueule, d'une platitude tragique qui faisait écho à un écrasement moral généralisé. Je vis alors dans la tunique dégonflée de la juge d'instruction lors de son pot de départ le symbole d'un métier à l'allure compactée, comme passée dans un casse automobile. J'étais foudroyé par une telle évidence et je me disais que ces êtres modelés en deux dimensions avaient donc fui les marques apparentes de la sexualité, celles de leur rattachement à l'humanité en général, et qu'ils réduisaient leur rapport au corps au seul usage qu'ils en connaissaient finalement (pour y réfléchir longuement dans l'intimité de leurs cabinets) : celui de la pénétration. En cette seconde, m'observant en train d'œuvrer entre ces cuisses à faible densité fémorale, je constatai que j'étais donc en pleine mutation professionnelle. Mon amoureuse dut s'apercevoir de mon chavirement car elle tenta de se redresser ; nous nous retrouvâmes comme deux galettes écrasées face à face, reluquant ensemble et avec un dépit honnête mon sexe étrange et penaud, à la longueur doublée à vide par le préservatif froissé qui pendait sans motif précis (sinon peut-être par inaction). J'empoignai alors mon slip et mon pantalon et, sortant en l'état du véhicule, je traversai en courant le parking du MacDo pour aller rejoindre mes appartements.

Dans les premières semaines de mon activité, je fis deux rencontres importantes. La première concernait une avocate locale, brin de fille comestible, brune au carré sur fond d'yeux bleus, mais à la prudence relationnelle qui m'apparut immédiatement excessive : sur le plan strictement comportemental, son regard restait fuyant mais de manière à peu près maîtrisée, ce qui était remarquable pour un terrien de sexe féminin pris dans cette civilisation industrielle en voie de plein achèvement normatif. En fait, je m'aperçus qu'elle était habitée par une méthode : ses yeux se fixaient quelques secondes sur vous puis s'égaraient ailleurs pour un temps similaire, et cela d'une manière répétitive quelle que soit son occupation, c'est-à-dire qu'elle parle, qu'elle écoute, qu'elle rêve dans la salle des pas perdus. De ce point de vue, j'avais donc peu de reproches à lui faire, sinon une certaine dépersonnalisation mécanique. Sa vraie prudence était plutôt ethnologique : elle me parlait comme habituellement les avocats s'adressent aux magistrats, dans une distance pleine d'onctuosité respectueuse, voire craintive, comme en état de subordination. Elle s'appelait Sandrine. Observant sa forme de vie, je constatai une nouvelle fois — avec toujours le même étonnement — l'exceptionnelle stabilité des comportements humains : cette jolie femme qui allait approcher de la quarantaine reproduisait à l'identique les modes relationnels en vigueur dans sa biosphère professionnelle, d'ailleurs sans doute conformes aux lois de son éducation personnelle. Dans vingt ans, comme l'ensemble de ses confrères, elle continuerait à entretenir cette peur révérencieuse, apprise par imitation de ses pairs et par formation, sans la questionner davantage, instruite qu'il s'agissait là de *courtoisie judiciaire* et de *déontologie professionnelle.* Surtout, il était plus que probable que, dans vingt ans, elle serait sans autre changement supplémentaire : avec peut-être une extension familiale, elle vivrait dans les formes répétitives de son métier, sans modification notable de son humeur sociale, sans émergence des forces intimes de sa maturité, dans un esprit de soumission inexplicable et obstinée à son idée du réel, indéfectiblement identique à elle-même.

Heureusement, mon passé répandu d'avocat lui avait offert un prétexte satisfaisant pour m'aborder, ainsi que pour contourner un instant ce ton absurde et injustifié, au nom d'une confraternité qui avait existé un jour entre nous. Nous avions ainsi, ce jour-là, fait connaissance sous cet angle et nos rapports s'étaient progressivement affinés jusqu'à formaliser une espèce de contact. Plus tard, un vendredi, elle était venue me rendre une brève visite dans mon bureau pour m'indiquer qu'elle était de permanence-avocat pour le week-end et que, comme je l'étais aussi pour le parquet, elle se demandait si elle pouvait obtenir mon numéro de mobile au cas où une affaire nécessiterait une présentation. Évidemment, les usages n'étaient pas ceux-là : les magistrats veillent jalousement à l'étanchéité de leur *vie privée* et, même si eux possèdent tous les numéros utiles à leur permanence, y compris ceux des avocats fournis par l'Ordre, le respect d'une distance professionnelle convenable n'impliquait aucune réciprocité. Cependant, comme chacun le sait, les usages méconnaissent les yeux bleus et les érections prospectives ; je lui offris donc ce jour-là, sans réfléchir une seconde (comme je l'aurais peut-être dû), dans une forme d'espoir sexuel dématérialisé mais ouvert, le sésame moderne de mes relations sociales.

L'autre rencontre d'importance que je fis était également féminine : il s'agissait de l'assistante de justice du parquet. Dans le mépris structurel du fonctionnement ordinaire de la justice, qui s'exerce non seulement à l'égard des justiciables en premier lieu mais également de tous les partenaires habituels de l'institution (avocats, avoués, huissiers, forces d'enquête, experts, interprètes, etc.) ainsi d'ailleurs qu'entre les magistrats eux-mêmes et à l'égard des greffiers (fortement différenciés selon leur catégorisation statutaire A, B, C), les assistants de justice ne possèdent aucune chance d'échapper à la règle. Définis par le ministère lui-même comme des *collaborateurs de haut niveau*, recrutés à bac + 4 au minimum, confinés dans des arrière-salles libérées de leur fonction naturelle d'archives, les assistants de justice ressemblent à des fourmis ouvrières dont la tâche est soigneusement dissimulée. Ce sont eux, pourtant, qui influencent l'activité judiciaire d'une manière insoupçonnée : rédaction de multiples jugements, établissement de rapports en tout genre sur les contraintes administratives d'un tribunal (hygiène et sécurité, suivi de travaux en cours...), gestion des bibliothèques, etc. Simplement, ils ne signent rien, ils n'existent pas : ils assistent.

Alice procédait, pour sa part, à la rédaction de la quasitotalité des règlements du parquet, dans un mi-temps réglementaire sur base de SMIC (moins de 500 euros par mois). Je m'attachai immédiatement à cette jeune femme, non pour sa beauté à la blondeur époustouflante, ni pour la dimension tragi-comique de son exploitation légale (le procureur lui imposait des cadences peu en rapport avec les siennes), mais pour ce qu'elle était : un être de vie, rempli de rigueur intellectuelle et d'humanité sans effroi. J'observais souvent cet authentique phénomène, génétiquement incompatible avec son environnement de fonction publique et, quand je voyais son beau regard clair soutenir sans sourciller les options de procédures qu'elle avait décidées (toujours vers la modération) face aux indifférences veules et répressives du procureur ou de la juge d'instruction, je me disais qu'il était évident que le monde entier fonctionnait ainsi : par quelques intelligences opérantes et dissimulées dans l'ombre des figures officielles mais déséquipées. Toutes les superstructures professionnelles devaient d'ailleurs reposer sur cette comédie des apparences car il était patent, finalement, que la logique mathématique des grands systèmes économico-administratifs contenait, par essence même, la nécessité de reléguer l'expression des formes d'humanité vers les rouages les plus intimes, les plus refoulés.

J'appris ainsi que, quand le procureur lui confiait les dossiers d'instruction à régler, aucune directive n'était jointe : elle avait carte blanche pour proposer une solution et la rédiger, c'est-à-dire globalement pour renvoyer le mis en examen devant le tribunal ou pour prononcer un non-lieu. Depuis plus de deux années qu'elle œuvrait, à raison de deux ou trois règlements par semaine, toutes ses options avaient été validées, à l'exception de trois dossiers : pour deux d'entre eux, des affaires de mœurs avec des victimes scolastiquement ambiguës, le procureur avait fini par valider le non-lieu qu'elle avait rédigé, non par esprit de doute mais par indifférence finale. La juge d'instruction s'y était opposée et avait décidé, malgré tout, de renvoyer les intéressés devant le tribunal : les relaxes prononcées l'avaient désavouée. Le troisième dossier concernait une affaire économique avec un notable local : le procureur s'était opposé au principe de sa culpabilité et à son renvoi devant le tribunal ; il avait repris le règlement mais en avait conservé toute la démonstration en entonnoir vers la culpabilité pour n'en modifier que la conclusion, vers un non-lieu. Un modèle de fainéantise enchantée. Cette belle manifestation d'amitié particulière ne fut pas récompensée : le notable fut renvoyé devant le tribunal par la juge d'instruction (pas dupe) où il fut logiquement condamné.

Dans ce vrai travail de magistrat payé à vil prix, comme

les nègres de certains écrivains réputés, combien de têtes Alice avait-elle sauvées de la mécanique saugrenue de la répression ? Des dizaines sûrement, à la force d'une intuition obstinée de l'idée de clémence, de pardon, d'une humanité qui se mire jusque dans les faiblesses des hommes. Cette œuvre, elle ne pouvait la porter que parce qu'elle avait les clés des dossiers, qu'elle offrait un beau produit final, rédigé dans une argumentation qui avait traqué toutes les formes du doute, et parce qu'elle savait qu'une position inverse à la sienne aurait nécessité une nouvelle rédaction, par un magistrat authentique cette fois, en rupture avec l'épuisement moral et généralisé du grand corps.

Je ne rêvais pas, mais parfois je me pinçais. Elle existait bien, là, avec toujours sa belle organisation cellulaire sans variation notable, non comme un mirage mais comme une sorte d'oasis improbable au cœur de ce désert rocailleux de la malveillance pandémique. Sa présence ressemblait à une délinquance majeure, comme une cigarette dans un lieu public.

LA DANSE DES HERMINES

— Monsieur. Il vous est reproché d'avoir, dans cette ville, le 21 juillet de l'an dernier, par imprudence, inattention, négligence ou manquement à une obligation de sécurité prévue par la loi ou le règlement, involontairement causé la mort de M. Théo V.

Le président se racla la gorge à la fin de son texte devant son absurdité.

— Bon, en fait, il vous est reproché, monsieur, d'être à l'origine du décès de votre fils, âgé de trois ans, qui s'est noyé dans une piscine non protégée. C'est ça ?

Drôle de question finale : « C'est ça ? » L'homme baissa la tête et approuva par deux hochements. Quand il leva le nez, ses yeux étaient embués.

— Oui, c'est ça, monsieur le président.

Il s'appelait Robert V., quarante et un ans. Le président avait, au tout début, vérifié son identité, d'une façon purement déclarative, aucune pièce d'identité n'étant jamais réclamée. Aux audiences, tout prévenu peut se faire substituer sans difficulté par n'importe qui, un frère ou un ami plus habile. L'homme se tenait debout en s'appuyant des deux mains à la barre. Il était en costume beige, à l'élégance un peu froissée. Derrière lui, la salle bruissait, elle n'était pas encore entrée en communion : c'était un début languissant.

Pourtant, à notre entrée, la fièvre était toujours la même, inépuisable : une sorte d'effervescence qui imprégnait horizontalement les esprits, ceux des professionnels comme ceux des figurants occasionnels, et ce d'autant plus puissamment, avais-je remarqué, qu'il faisait beau et chaud lors de cet après-midi de septembre. Le soleil, l'été, ont toujours été des partenaires symboliques de la justice, qui aimerait sans doute les compter comme des propriétés naturelles car une salle d'audience baignée d'une vaste irradiation solaire s'érige toujours dans une majesté opportune et fonctionnelle ; un peu comme sur le central de Roland-Garros. De fait, la justice du Nord est objectivement moins fastueuse.

J'observais distraitement ce public qui s'était levé à notre arrivée, dans une prosternation inversée, comme celle des écoliers — avec les éternels distraits qui étaient restés assis, aussitôt repérés, aggravant déjà leur cas — puis, dans une belle unité indifférenciée, s'était rassis bruyamment sur les bancs de la présomption d'innocence : des habitués, retraités pour la plupart, qui passaient là leurs après-midi au théâtre en attendant Questions pour un champion, quelques victimes, quelques prévenus, quelques égarés, tous inconnus, acteurs d'un jour, parfois un groupe scolaire, à l'air effaré et stupide.

Précédés d'une sonnette d'un autre temps, nous étions entrés en rang d'oignons, solennellement et dans un ordre immuable, avant de nous installer derrière nos bureaux-bunkers, empêtrés dans nos panoplies de corbeau, l'air grave. Devant nos allures de comédiens professionnels, n'importe quel esprit raisonnable pourrait croire que ce protocole usé, nous ne ferions que le subir, comme un tribut dû à l'Histoire. Qu'il se détrompe immédiatement : rien n'est plus important que ces privilèges d'autorité visuelle. Ce sont les transfigurations nécessaires à l'œuvre de juger d'autres humains à la composition cellulaire un peu trop similaire. Sur nos mines composées, le dédain apparent n'est que celui que le pouvoir judiciaire s'offre encore à lui-même et qu'il prend soin de bien afficher malgré sa fatigue historique : un privilège narcissique et réservé.

— Bien, dit le président qui se tourna vers l'avocat du prévenu, maître, la culpabilité sera-t-elle discutée ?

Dans la fosse, les premiers avocats présents piaffaient et s'égaraient en gestes inutiles et théâtraux. Parmi eux, l'avocat de Robert V., auquel le président s'adressait. C'était un avocat parisien, reconnaissable à son épitoge dépourvue d'hermine et surtout à son sentiment visible de supériorité, conforté par le regard mouillé d'admiration de ses confrères provinciaux. La règle a toujours été celle-ci : l'avocat parisien est, hors de chez lui, présumé d'une composition supérieure, comme le jambon bio. À la question du président, il s'avança lentement, plein de concentration exposée, la crinière pénale au vent :

— Monsieur le président, la question de la culpabilité

est toujours *la* question d'un dossier pénal. Mais en ce qui concerne mon client, je peux vous assurer que, malgré toute sa souffrance et ce que lui coûte ce procès, à lui et à sa famille, il n'entend pas se soustraire à sa responsabilité.

Ça commençait bien, j'adorais par principe ce type d'emphase creuse. Par « ce que lui coûte ce procès », parlait-il d'emblée de ses honoraires ?

— Bien, dit le président, alors les faits sont relativement simples. Monsieur, vous avez dans notre région une maison de famille que vous avez occupée pendant la seconde quinzaine de juillet de l'an dernier. Cette maison est dotée d'une piscine qui ne possède pas de dispositif de sécurité normalisé conformément à la loi du 3 janvier 2003. Le 21 juillet, vers 14 heures, votre fils Théo, âgé de trois ans, est tombé à l'eau en l'absence apparemment de tout membre de la famille alentour et, le temps que vous vous aperceviez de sa disparition et que vous plongiez pour le repêcher, il s'était noyé et vous n'avez pu que constater le décès... Alors, monsieur, vous avez été entendu dans le cadre de l'enquête et vous avez déclaré qu'au moment des faits vous vous trouviez dans le cabanon jouxtant la piscine pour vérifier le bon fonctionnement du système de filtration de l'eau. Vous pensiez que votre fils était surveillé par sa mère, votre femme. Celle-ci a également été entendue et a déclaré qu'elle s'était absentée quelques minutes dans la maison, pensant que Théo était avec vous...

Le président leva le nez de son dossier et, par-dessus ses demi-lunes, jeta sur le prévenu un regard rempli de perspicacité :

— Si je comprends bien, chacun pensait que l'autre surveillait Théo mais sans le vérifier, c'est ça ?

L'homme opinait du chef. Il pleurait en silence. Que répondre à cette question ? Quand j'avais préparé l'audience le matin même, j'étais tombé de ma chaise à la lecture de ce dossier. J'avais débarqué dans le bureau d'Hervé Rident, qui était à l'origine des poursuites :

— Dis-moi, Hervé, dans l'affaire du gamin noyé dans la piscine, pourquoi as-tu poursuivi le père ? Tu ne crois pas que perdre accidentellement un gamin peut se suffire, sans devoir rajouter une condamnation ?

Il avait pris aussitôt un air papal :

— Parce que ce type d'homicide doit être jugé pour ne plus se reproduire. Il est important qu'il soit dit que la justice sera vigilante sur cette question.

— Qu'il soit dit par qui ? Tu sais bien qu'il n'y a jamais le moindre journaliste à l'audience pour diffuser le message au-dehors. Et pourquoi ne pas avoir poursuivi la mère, tant que tu y étais ?

Ses yeux prirent une ombre mauvaise.

— Elle n'a pas eu le même rôle, le dossier l'indique si tu l'avais bien lu. Et puis, ce n'est pas un accident comme tu dis, c'est une négligence. Le procureur a partagé mon point de vue.

J'avais observé en silence cet étrange interlocuteur : il n'y avait aucun doute, en face de moi j'avais Dieu, en personne. Dieu disgracié et en tenue de pénitence, qui habitait ici et qui avait décidé, avec son crayon de bois, que la perte d'un enfant devait se payer en public ; que, de même, au regard d'éléments de pensée magique, un parent devait en répondre plus que l'autre, histoire de bien morceler le drame familial ; que la loi du 3 janvier 2003 était autrement plus aimable à défendre que la souffrance éternelle, et qu'en toute hypothèse le hasard finalement n'existait pas : il n'y avait que des fautes, souvent grossières, d'humains imparfaits à l'expiation nécessairement coupable.

Bien sûr, je m'étais imaginé Dieu un peu différemment, en moins spongieux et sans lunettes d'écailles, mais, pour prendre congé, je l'avais salué quand même d'un petit geste militarisé.

L'audience se poursuivait dans sa convention irréprochable : le président évoquait les dispositions de la loi du 3 janvier 2003 sur la sécurisation des piscines. Il faisait comme si cette loi était imparable, universelle, acquise depuis toujours comme les tables de multiplication ou le code de la route. Les magistrats agissent tous ainsi : alors qu'ils ignorent logiquement, jusqu'à la lecture de préparation du dossier, la quasi-totalité des textes techniques qui fondent les poursuites, ils font mine de leur conférer un caractère d'évidence.

Le débat prenait un tour hautement rébarbatif qui, dans la chaleur progressive, engourdissait les esprits et notamment le mien : l'avocat du prévenu contestait le fondement de cette loi, au motif que son application avait été fixée au 1er mai 2004 pour les locations saisonnières et au 1er janvier 2006 pour les propriétaires individuels. Le drame étant intervenu avant cette dernière date et comme il ne s'agissait pas d'une location saisonnière, la loi ne pouvait fonder les poursuites. Il développait son argumentation pendant l'instruction de l'affaire par le président, si bien que l'effet oratoire de sa plaidoirie finale ne pouvait que s'ensabler dans la répétition. Le procès français n'a jamais résolu cette question d'ordre. De leur côté, les avocats pensent que le martèlement obsessionnel présente des vertus de persuasion : ils sont envahis par l'impuissance institutionnelle de leur parole. Le président se tournait souvent vers moi, comme vers celui peut-être par qui la solution idéale pouvait surgir. Comme tous les magistrats, il n'appréciait pas la menace juridique pesant sur les dossiers : il aimait les sauver, un peu coûte que coûte, il était passé par le parquet dans sa carrière et mesurait le désaveu collectif d'une poursuite défectueuse. Une relaxe prononcée, il ne la savourait que comme réponse à la question de la culpabilité ; une relaxe pour vice de forme ou de procédure, elle, écornait sa toute-puissance et pouvait humilier l'esprit de corps.

En retour, je n'avais à lui offrir qu'un masque éteint aux paupières lourdes. En fait, je regrettais mon déjeuner à base de tripes, dont je m'apercevais que les propriétés capitalisaient durablement en bouche. Je regrettais également d'avoir gardé ma veste sous ma robe, bien qu'elle soit 40 % lin et 60 % coton. Un petit plongeon dans une piscine m'aurait fait du bien. J'observais surtout les autres avocats locaux qui s'ennuyaient : Me Hetzig, hyène malingre entre deux âges, aux ondulations blanchâtres tout en nuque, une dent sur deux, gainant ses phrases d'une énurésie salivaire. Il venait toujours, en vieux pénaliste patiné, saluer d'une main molle le représentant du ministère public, avec des airs de chien battu qui aime son maître, abandonnant à chaque fois sur le bureau un vague bouillon de postillons à l'évaporation paresseuse. Chaque fois que je le voyais s'approcher, je me demandais comment des gens normalement constitués pouvaient lui confier leurs intérêts sans frayeur. Il discutait avec Me Esu, qui gardait prudemment ses distances et dont le coiffeur-visagiste entretenait savamment cinquante ans de bourgeoisie provinciale concentrée, au maniérisme affecté jusque dans ses pensées générales, donnant toujours à sa présence un air d'absence. La fine fleur du barreau local.

L'instruction à l'audience de l'affaire s'achevait en accéléré. Faute de partie civile, le président me donna enfin la parole en se renversant sur sa chaise, soucieux à l'évidence de me voir rétablir un sort salutaire au dossier. Je me levai doucement, décidé à puiser du fond de ma torpeur générale l'énergie lente d'un massacre subtil :

— Monsieur le président, madame, monsieur du tribunal, ce dossier s'est étoffé à l'audience d'une réflexion juridique proposée par la défense. Il ne saurait donc être question pour nous d'en faire l'économie. Je vous l'indique cependant d'emblée : le débat sur l'application ou non de la loi du 3 janvier 2003 ne m'apparaît pas décisif pour le sort de ce procès. Il le serait, décisif, si le prévenu était un professionnel ou un élu. Vous savez en effet comme moi que la loi dite « Fauchon » du 10 juillet 2000 ne permet des poursuites à l'égard d'un professionnel ou d'un élu qu'en cas de faute caractérisée ou de violation manifestement délibérée d'une obligation de prudence ou de sécurité prévue par la loi ou le règlement. Ainsi, dans notre espèce, la violation de la loi du 3 janvier 2003 sur la sécurisation des piscines pourrait constituer un élément solide de culpabilité. Mais cette loi n'a été applicable qu'à compter du 1er janvier 2006 et le drame que nous avons à juger est intervenu avant cette date. La loi n'est donc, à mon sens, pas applicable. En conséquence, tout professionnel ou tout élu qui serait à la place de M. V. pourrait échapper à la prévention d'homicide involontaire. Mais le problème est que M. V. n'est ni un professionnel ni un élu : c'est un simple particulier, que nos parlementaires n'ont pas entendu protéger de manière spéciale. Aussi, une simple faute de négligence ou d'inattention est suffisante pour engager sa culpabilité, sans avoir à rechercher des conditions légales supérieures. C'est ainsi. Nous appartient-il d'apprécier ici cette étonnante différence de traitement judiciaire pour des faits similaires ? En tant que magistrats, j'en doute, s'agissant de la volonté manifestement délibérée de notre représentation nationale. À titre personnel, le sentiment de chacun demeure libre, évidemment. Ainsi, la question soumise aujourd'hui au tribunal est de savoir si l'inattention ou le défaut de surveillance d'un enfant de trois ans pendant une poignée de secondes, peut-être deux ou trois minutes, constitue une faute pénale ou un aléa tragique de la vie. Je vous dirais honnêtement, à titre personnel, que je n'ai pas résolu cette question. Nos parcours d'êtres humains sont meublés de moments récurrents d'inattention, qui ne portent souvent pas à conséquence. Les analyser à la lumière d'un drame soudain me paraît, dans une stricte logique intellectuelle, vouloir sans doute exiger l'impossible. Mais je sais que la logique judiciaire n'est pas la logique intellectuelle, elle requiert de l'homme, dans l'après-coup, une lucidité sur lui-même qui n'existe que par idéal. C'est comme ça que fonctionne la justice. Il va donc s'agir, pour le tribunal, d'apprécier l'inattention de ce père, seul aujourd'hui à la barre, d'y créer un lien quelconque avec le décès de son fils, en considérant que sa croyance dans la présence de la mère au bord de la piscine est objectivement fautive et, en conséquence, de l'en condamner. Pour ma part, depuis cette place du ministère public qui perçoit également l'ampleur de la tragédie familiale de ce dossier, je ne peux que m'en rapporter à la décision du tribunal. Je n'aurai donc pas de réquisitions particulières sur la peine.

Je me rassis en croisant le regard de la nouvelle juge aux affaires familiales qui siégeait aux côtés du président. Elle m'adressa un nouveau sourire d'appui. J'avais conscience qu'en trois minutes, je venais de renflouer cette accusation nauséeuse pour mieux la torpiller, là où il ne faisait aucun doute que mes aimables collègues du parquet se seraient, à ma place, appliqués à démontrer une faute parentale inexcusable et une culpabilité forcenée. En auraient-ils été blâmables d'ailleurs ? Depuis que j'avais investi le parquet, sa mécanique culturelle m'était apparue dans toute sa simplicité. À partir de l'idée statutaire que le parquet est *indivisible* (ce qui signifie seulement que ses magistrats peuvent se remplacer mutuellement), l'idéologie professionnelle avait inventé une sorte de communauté d'intérêt : le substitut d'audience soutient jusqu'au bout les choix de poursuite décidés pour le dossier par un autre substitut. Cette bizarrerie intellectuelle, supprimant autoritairement aux magistrats tout droit à la critique et à l'autonomie, sinon dans des subtilités de parole honteuses et mesurées, constitue de fait et en toute logique les prémices historiques de la disparition annoncée du parquet.

L'avocat parisien était heureux et soulagé. Ses mèches en témoignaient. Il commença sa plaidoirie comme s'il répétait devant un miroir, avec des artifices d'intermittent du spectacle. Je me demandais s'il n'allait pas, à son tour, torpiller par maladresse mes positions.

Mon mobile vibra alors dans ma poche. Avec une discrétion relative, je l'extirpai et, sous le bureau, je lus le message : « Comment allez-vous ? Sandrine. » Je fus estomaqué et je la découvris, entrant dans la salle, en robe noire, souriant dans ma direction avec un air tendu, consciente de son audace. Je sentis que j'affichais sans contrôle un masque de surprise inadaptée, qu'elle tenta de désamorcer d'une mimique de la bouche. Que lui prenait-il ? Une jeune avocate s'approcha d'elle pour discuter en fond de salle. Il s'agissait de Me Syvestre, une collaboratrice novice au teint transparent et à l'embonpoint projectivement inquiétant, amoureuse de son image sociale bien que sans doute déjà aux prises avec les pires ennemis de sa profession, en premier lieu l'Urssaf bien sûr, mais également ses confrères avocats, les magistrats et ses premiers clients insaisissables, versatiles et impécunieux. En outre, elle plaidait ordinairement d'une manière totalement inefficace, sans la moindre valeur ajoutée pour les dossiers. Ce en quoi elle se distinguait peu de l'ensemble de sa confrérie.

Je retournai au Parisien. Il s'améliorait. Il appuyait son désir de conviction sur le caractère non pénal de l'inattention de son client. Je le sentais sur la bonne voie, même si les tribunaux préfèrent les coupables contrits aux innocents revêches. À l'autre bout, la Sandrine pianotait sur son téléphone en discutant avec sa consœur. Mon mobile vibra de nouveau : « Sous ma robe, je ne suis qu'en dessous. Voulez-vous voir ? » Je pris quelques secondes pesées pour relire. Stylistiquement, la formule m'apparut directement plus érotique que poétique ; des figures de dessous géométriques vinrent s'empiler d'un coup dans mon esprit, presque sur un mode métaphysique : car qu'y a-t-il au juste sous le dessous, voire au-dessous du dessous ? Un double fond ? De plus, je n'avais pas sur moi mes lunettes pour voir sous les robes, même d'avocat. Je m'inquiétai un instant de n'être pas le jouet d'une caméra cachée pour film pornographique et je vérifiai les angles supérieurs de la salle. Je répondis au jugé : « Enlevez-les. » Elle me fixa un temps de son lointain coin puis prit congé de la salle.

J'observais le Parisien sans l'écouter : il faisait de petits circuits en plaidant, cheminant de sa place à la barre par lignes discrètes et improvisées, comme s'il composait avec son corps un message secret, visible uniquement sur enregistrement. Mon téléphone vibra : « À vos ordres, votre honneur. » Sandrine réapparut, sans modifications apparentes. J'écrivis : « Preuve ? » Elle répondit : « À la suspension d'audience. » Tout cela s'annonçait plutôt bien. Je croisai le regard du président qui se demandait à l'évidence ce que je faisais, à moitié penché sous mon bureau. La juge aux affaires familiales me noyait de sourires complices ; je la gratifierai de ma reconnaissance en temps utile, celle-là. Le Parisien n'en finissait pas de finir : il s'abîmait dans les redondances. Quand, à bout de forces et lassé de lui-même, il tendit son dossier au tribunal (dossier aussi épais qu'inutile puisque la décision serait rendue en quelques minutes, sur le seul effet de l'audience) et que le président annonça que le tribunal se retirait pour délibérer, je sentis comme la manifestation téléologique d'une érection.

Libre, arpentant le couloir plus frais qui longeait la salle d'audience, j'avisai Sandrine qui m'avisa. Elle conservait son air tendu devant l'occurrence qui s'annonçait, identique à mon émotion. Sans un mot, elle fila vers le couloir qui menait aux toilettes *réservées* (c'est-à-dire en fait ni publiques ni privées : pour personne), mitoyennes du service de l'aide juridictionnelle. Je la suivis en songeant au chien de mon enfance, qui s'aventurait toujours dans le jardin avec un air dubitatif. Il s'appelait Plouf et je l'aimais cordialement. Je la rejoignis dans le dernier box où, après avoir fermé la porte sur moi, elle m'embrassa sans mon avis. Je me confirmai intérieurement que les tripes du déjeuner n'étaient pas une bonne idée même si, au bout du compte, je m'y étais autarciquement habitué. Elle ouvrit sa robe noire et j'aperçus un beau corps, tout en rondeurs, que je sentis impatient et comme inflammable. Je me devais donc d'avoir l'esprit sidérurgique. Par trois gestes nerveux, elle m'invita à me défaire de mon pantalon. Ci-obtempérant, et alors même que mon sexe s'aérait enfin dans une étrange élasticité que je ne lui connaissais pas, elle me souffla à l'oreille : « Tu as tes préservatifs ? »

Mes... ?

Notre formation intellectuelle commune, tirée des principes éducatifs de la IIIe République, nous permit d'éviter toute explication inutile. Refermant sa robe, elle me dit juste : « Va en chercher » et, empiriquement rebraguetté, je sortis dans le couloir. Où trouver des préservatifs dans un tribunal ? J'avançais avec le même air que mon chien quand je tombai nez à nez avec la Valérie. Qu'est-ce qu'elle faisait là ? Elle m'aborda avec un air dur :

— Étienne, il faut qu'on parle.

— De... ?

— De nous, évidemment.

— De... ?

— Eh bien, de l'autre soir, dans la voiture.

— Dans... ?

— Étienne, ne te comporte pas comme un salaud. Tu ne m'as pas parlé depuis cette soirée, moi je suis prête à en discuter, pour y mettre un terme si tu veux.

— À quoi... ?

— Étienne, ne joue pas au con !

— Au... ?

— Tu es un salaud, tu ne l'emporteras pas au paradis !

— Au... ? fis-je pendant qu'elle tournait les talons.

Bon, des préservatifs... Je pouvais éventuellement en demander à la greffière en chef, c'était une vieille fille de structure, donc probablement une salope patentée. J'hésitais : elle m'avait toujours fait peur. Peut-être alors à l'agent du portique de sécurité de l'entrée, je savais qu'il avait six enfants, j'avais une bonne chance qu'il ait ça sur lui. À la fois, je me disais que lui passer une telle commande pendant une suspension d'audience risquait d'écorner ma respectabilité de magistrat. Combien devais-je en demander ? Un ? Deux ? Trois, si j'optimisais mon moi idéal, doublé d'une maladresse technique. Peut-être qu'une boîte complète me permettrait d'échapper à ce type de question d'une philosophie pointue. Je me voyais mal cependant aller à la pharmacie du coin acheter ça, en robe :

— Ah, monsieur Lanos ! Vous n'avez déjà plus d'ampoules drainantes ?

— Si, si, bien sûr... En fait, je me demandais comme ça : vous n'auriez pas des préservatifs par hasard ?

— Ah... ? Oui naturellement. Quel genre ?

— Oui... non... peu importe, ce n'est pas pour ma constipation, qui va très bien, je vous demande ça pour un dossier.

— Pour un dossier ?

— Urgent.

Je regrettai d'un coup de ne pas avoir eu l'idée d'en demander à Valérie qui, l'autre soir et sans un mot, m'en avait tendu un dans la voiture. J'avais d'ailleurs conservé l'emballage dans la boîte à gants, je trouvais qu'il ressemblait un peu aux motifs des sièges.

Je me décidai à aller errer à tout hasard dans le greffe correctionnel, regardant à la dérobée sur tous les bureaux.

Dans le même temps, je sentais monter une démangeaison testiculaire inexplicable, peut-être due à la contrariété.

Le président m'aperçut pendant que je fouillais dans une poubelle. Il était rouge et comme énervé :

— Mais qu'est-ce que vous foutez Lanos ? Ça fait un quart d'heure qu'on vous cherche. Allez, l'audience reprend !

Il interrompait d'un coup la solution qui était venue s'imposer à moi : voler une feuille de procès-verbal dans un dossier et me l'enrouler avec du scotch. Je filai à l'audience. À peine assis, mon téléphone vibra pendant que le président annonçait la décision au prévenu : la relaxe. Le président crut bon d'expliquer que le tribunal n'avait pas jugé utile d'ajouter une sanction pénale à la peine morale déjà vécue. Dont acte. Robert V. remercia le tribunal d'un mouvement de la tête et, se tournant vers moi, m'adressa un merci sonore. Mon cas s'aggravait publiquement, déjà que j'étais, dès le lendemain, automatiquement convoqué chez le procureur pour la relaxe. Le Parisien vint de surcroît me secouer chaleureusement la main, comme à un ami.

J'avisai mon message venant de Sandrine : « Qu'est-ce qu'on fait ? » Ah oui, au fait... Je répondis : « Viens plaider » qui, dans le langage T9 de mon mobile acquis en promotion exceptionnelle, un samedi après-midi dans une galerie marchande, donna : « Viens plextey. » J'envoyai quand même, comptant sur la sublimation de l'amour. La sanction fut immédiate : « Quoi ? » Je supprimai le T9 : « Pa 2 kapott a lodiens. » J'étais content de mon efficacité, j'étais sûr qu'elle comprendrait. « Pov con », reçus-je en retour. Au fond de moi, tout un investissement romantique s'en trouva d'un coup contrarié.

Le président déclara en regardant le fond de la salle :

— Quand le ministère public sera prêt, nous pourrons reprendre cette audience. Je rappelle à toutes fins à l'assistance que l'usage des téléphones portables n'est pas admis dans cette salle et qu'ils doivent être éteints.

Je cherchai dans le public qui pouvait bien utiliser son téléphone.

— Bien, dit le président, je propose que nous évoquions l'affaire Andréa A.

Andréa A. était un garçon, un jeune homme de dix-neuf ans, qui comparaissait pour des infractions s'emboîtant idéalement avec la folie meurtrière du parquet. Il connaissait depuis son enfance une fille âgée d'un an de moins que lui. Ils avaient presque grandi ensemble, les parents étaient amis, ils habitaient à une rue les uns des autres. La proximité des enfants s'était, au cours de ces longues années de maturation commune, soudée dans une forme d'affection indistincte et variable, faite de souvenirs, d'école et de vacances partagés, d'amitié fraternelle, de désir, d'amour à peine désigné, de fâcheries. Leurs histoires respectives étaient indissociables. Un soir récent, alors qu'ils étaient devenus majeurs tous les deux, désespérant de la voir venir au rendez-vous qu'il lui avait fixé, il avait décidé vers minuit de lui rendre visite. Il s'était rendu chez elle, était entré dans cette seconde maison pour lui, et silencieusement était venu s'asseoir sur le lit où elle dormait. Là, il avait commencé à lui caresser doucement les cheveux, puis progressivement les épaules, le dos, les fesses et les cuisses.

Elle était en slip et tee-shirt. Quand, au bout d'une heure (!), elle avait manifesté les premiers signes de réveil, il avait subitement quitté la pièce et la maison. Elle s'était alors redressée en apercevant une ombre qui quittait sa chambre. Conscient de la peur qu'il avait pu susciter, il l'avait invitée dans un café un jour suivant pour lui avouer son méfait. Elle était allée aussitôt déposer plainte contre lui. Entendu en garde à vue, il avait confirmé les caresses de surface et précisé que son seul espoir finalement était qu'elle se réveillât et le prît dans ses bras : il était amoureux d'elle depuis longtemps, l'adolescence avait modifié émotionnellement ce lien d'enfance. Il regrettait amèrement cette malheureuse initiative. Saisi du dossier, le parquet se sublima : il poursuivit le jeune homme pour agression sexuelle même si, sur ce point, les éléments ne résultaient que des déclarations volontaires de l'auteur puisque la victime, dormant jusqu'au bout, n'avait rien senti.

Préparant ce dossier, j'avais naturellement failli avaler mon stylo. Je vérifiai le magistrat à l'origine du trait de génie de ces poursuites, pariant en aveugle sur la Valérie. Erreur : le Rident souverain l'avait signé du bout de l'épée. Le parquet était décidément indivisible.

À l'audience, Andréa A. s'avança à la barre, intimidé. C'était un jeune homme d'une grande beauté, fin, à l'air romantique, un poil mal dégrossi, cherchant vaguement des yeux la victime qui n'osa pas se présenter : elle se faisait représenter par un avocat, en l'espèce Sandrine. L'instruction des faits tournait court : le président cherchait surtout à connaître les motivations du jeune homme, mais il prit soin de bien lui faire confirmer les caresses. Les cheveux, le dos, d'accord... Mais n'y avait-il pas eu les fesses aussi ? Oui, vous confirmez. Les cuisses... ? Oui, un peu donc. Un peu beaucoup... ? Non, à peine, d'accord... Bien, bien...

Je sentais que l'instruction d'audience s'achevait ainsi, tranquillement, prudemment, malgré les béances invraisemblables au cœur même du bon sens.

— Monsieur A., me risquai-je alors, comment est-il possible selon vous qu'une jeune femme se fasse ainsi caresser sur le corps pendant près d'une heure, selon vos déclarations, sans se réveiller ?

— Je ne sais pas, dit-il en baissant la tête. Moi, je pensais qu'elle était réveillée.

— Mais alors, si elle était réveillée, c'est donc qu'elle se laissait faire ?

— Je ne sais pas. Peut-être. Je ne faisais rien de mal, c'était très doux.

— Mais si c'était si doux, il est possible également qu'elle ne se soit pas réveillée ?

— Oui... mais je n'ai pas eu cette impression.

— Bon, intervint le président. Plus d'autres questions ? Eh bien, la parole est à la partie civile.

Sandrine se leva. Elle commença sa plaidoirie avec un air lent, presque solennel. Je sentais qu'elle voulait habiller sa cliente du drame de l'abus sexuel, et tenter peut-être ainsi de justifier son absence à l'audience. Dans la comédie judiciaire, c'était une hypothèse crédible. De fait, après avoir rappelé les longues années partagées de l'enfance, elle élabora la théorie du surgissement sexuel venant séparer les deux individus, l'aveuglement du prévenu (avec son sale désir insistant) qui l'avait mené à cette soirée malheureuse. Elle présenta sa cliente comme « souillée par l'idée même de ces caresses », « marquée par sa peur cette nuit-là », désireuse désormais de tirer un trait sur ce lien d'enfance. Elle réclama 3 000 euros de dommages et intérêts et la moitié pour les frais d'avocat.

J'écoutais ma Sandrine avec un certain attendrissement. Je me demandais si elle avait remis une culotte, pour ne pas être à son tour souillée par quelques champignons collectifs du lieu ou par certains postillons effervescents que son confrère avait probablement semés de-çà de-là avec entrain. Avait-elle remis son soutien-gorge ? J'imaginais ses seins libres et lourds bouger doucement au rythme de sa conviction, lui donnant une légitimité opportune et supplémentaire à défendre la cause des femmes. Avec un soutien-gorge, la défense m'apparaissait d'un coup plus... défensive.

Le président interrompit mes rêveries d'efficacité professionnelle en me donnant la parole.

— Bien, monsieur le président, madame, monsieur du tribunal, ce dossier nous interpelle principalement du côté de la partie civile. Voici deux jeunes gens qui ont vingt ans de complicité et dont le garçon, du fait d'une expédition nocturne dont le romantisme cinématographique n'a finalement échappé à personne, se retrouve à la barre d'un tribunal correctionnel pour avoir lui-même révélé, alors que sa victime l'ignorait, qu'il lui avait prodigué des caresses superficielles sur le corps. Si la justice n'était qu'une simple affaire de faits, pris objectivement, on pourrait se dire que la conscience ou non de recevoir des caresses dans son sommeil est indifférente à la question de la culpabilité et qu'il faut entrer en voie de condamnation. Mais nous savons tous qu'au-delà des faits bruts, la justice doit être surtout et d'abord une affaire d'individus. Or, dans cette histoire d'individus, qu'avons-nous ? Un lien d'enfance qui, quoi qu'on veuille en faire aujourd'hui de part et d'autre, a fixé les deux acteurs de ce procès dans une intimité historique. Un sentiment amoureux qui, surgi sur le tard et venant certainement brouiller les cartes, n'a pas concerné que le prévenu, comme on a tenté de le développer tout à l'heure : le dossier nous indique qu'un lien amoureux, certes fluctuant mais réciproque, a lié ces deux individus pendant de nombreux mois. Et enfin, nous avons des caresses superficielles sur le corps dont la victime nous dit qu'elle n'en a pas eu conscience et qui s'inspiraient, chez l'auteur, de la volonté de la réveiller pour qu'elle le prenne dans ses bras. Que reste-t-il donc de l'examen attentif de ce dossier ? Une peur de la victime, légitime certes, mais une simple peur : celle d'avoir vu un individu non reconnu quitter sa chambre en pleine nuit, lui-même expliquant sa fuite par la conscience soudaine de l'incongruité de sa présence. Aussi, si nous avons le souci de redonner à ce dossier un peu d'exactitude et sa véritable dimension, en fait comme en droit, il m'apparaîtrait opportun de procéder à une requalification des poursuites : je propose en conséquence au tribunal de convertir le délit d'agression sexuelle en délit de violation de domicile. Le préjudice de la victime étant finalement la peur ressentie à la vue de cette ombre non identifiée, une réparation correspondant à ce nouveau délit apparaîtrait d'une bonne logique. Concernant la peine, je propose un travail d'intérêt général dont je laisse le soin au tribunal de fixer le quantum et la période d'exécution.

Je me rassis, songeant d'un coup et sans érotisme vagabond à l'entretien qui m'attendait rapidement chez le procureur : chez lui, toute caresse sur des fesses non consentantes constitue *automatiquement* une agression sexuelle. Une remontrance pour doute excessif me pendait au nez : je n'incarnais pas la bonne pratique répressive. En outre, croisant le regard de Sandrine, je compris que ma réputation personnelle n'avait pas d'avenir plus enviable.

Andréa A. était défendu par Me Octave, le bien nommé, prince du barreau, suzerain en ses terres, ancien bâtonnier, sorte de Clark Gable de sous-préfecture, le genre dont les femmes de sept à soixante-dix-sept ans s'éprennent pour des raisons inexplicables, qui m'avait écouté avec un air satisfait, évidemment, me faisant donc douter en permanence de mes réquisitions. Il avait commencé sa plaidoirie avec le ton qui, probablement, faisait son charme depuis les Trente Glorieuses et fidélisait aux audiences quelques décaties régionales extirpées de maisons de retraite qui, le soir, devaient se masturber en pensant à lui, aux côtés de leur animal de compagnie, devant la télé en sourdine, dans des pensées imprécises de week-end improvisé sur la Costa Brava.

Il soliloquait d'abord vaguement, satisfait mais encombré par les positions du ministère public qui empiétaient un peu trop sur sa défense. Puis sa peinture du dossier se tourna radicalement vers le romantisme primitif de l'adolescence : comment oser voir dans cette visite nocturne et maladroite la moindre idée d'agression sexuelle ? Avions-nous donc tous, nous les adultes, oublié à jamais ces moments d'embrasement ? Devait-on pénaliser tous les gestes de tendresse entre deux êtres qui se sont toujours aimés ? Que faisait-on du repentir d'Andréa, de ses excuses sincères, de ses aveux spontanés ? Comment poursuivre des infractions dont la victime elle-même n'aurait jamais eu connaissance si les simples gestes d'amour désemparé n'avaient été confessés par pure honnêteté ? Quelle était donc cette justice qui méprisait la force des sentiments et la maladresse des cœurs... ?

En dépit des conventions de ce discours, poinçonnées du biotope judiciaire, j'aimais bien ces moments particuliers d'audience, où une forme d'émotion partagée s'emparait de l'espace public. Il n'y avait guère que les avocats confirmés pour être capables, en quelques minutes calibrées et soudaines, de venir ainsi rappeler à nos âmes absentes les fêlures possibles de nos vies. Quelque chose d'aérien s'ouvrait alors, comme un affermissement collectif du genre humain, qui laissait entrevoir une possibilité quelconque sur soi. Le métier d'avocat m'avait séduit, me séduisait encore parfois, pour ça, cette électricité fugace qui parfois surgissait et dont nous devenions les conducteurs intimes et bonifiés, nous faisant soudainement appartenir en rêve à cette communauté des damnés de l'égarement fautif. En fallait-il du talent cependant pour sublimer ce vaste Titanic des faiblesses coupables qu'est la justice ! Un talent rare, retiré des prestations usuelles des avocats n'offrant que des steppes chauves et infécondes, un talent sonnant comme le rappel idéal que le déséquilibre chronique des forces du procès et la misère organique de la défense n'avaient d'autre issue, pour se cacher, que ces moments d'éloquence inspirée.

— Sur la requalification des faits telle que suggérée par le ministère public, évidemment qu'il faudrait y procéder, monsieur le président, madame, monsieur ! Je partage cet avis que le dossier n'est rien d'autre finalement qu'une frayeur ; le préjudice véritable de la victime, c'est cette violation de domicile, cette intrusion suivie d'une fuite, et rien d'autre ! Qu'a fait cette famille réveillée en pleine nuit par sa fille ? Elle a seulement vérifié si un vol avait eu lieu dans la maison, pas si une agression sexuelle avait été commise à laquelle personne, pas même la principale intéressée, n'avait songé !

Malgré son bon sens immédiat, cette partie de la plaidoirie était une erreur ; je le vérifiai aussitôt dans le regard de mes juges. Un avocat ne peut pas dicter une décision à un magistrat : c'est un principe intangible. Un jour où je discutais avec un de mes bons collègues du siège, il m'avait déclaré avec un renversement de la nuque proche d'une figure du plaisir :

— Moi, j'ai pour habitude depuis toujours de ne jamais donner pleinement raison à un avocat.

— Ah... fis-je, pourquoi donc ?

— Parce que ce n'est pas à un auxiliaire de justice de faire un jugement, c'est à nous. Il serait trop content en plus.

— Oui, je vois. Mais s'il a pleinement raison ?

Il prit un air de buraliste satisfait :

— Je m'arrange toujours.

J'avais contemplé un moment cette belle machinerie d'autopromotion heureuse et j'avais été tenté, d'un coup, de voir comment c'était chez lui : sa gazinière, ses tableaux, ses serviettes de toilette. Je me disais que tout devait être originalement distinctif.

— Mais, avais-je insisté, ce n'est pas lui qui aurait pleinement raison, c'est son client. Tu ne crois pas que ta position... ?

— C'est des avocats qu'il faut nous préserver, Étienne. Tu verras par l'expérience que j'ai raison.

— Raison ? Pleinement raison... ?

Me Octave venait donc de commettre cette erreur grossière en direct. Malgré son expérience, il ignorait encore l'esprit de susceptibilité de ses interlocuteurs, en tout cas sur cette question insoupçonnée. À sa décharge, j'avais passé quelques années au barreau à ignorer de tels mécanismes de pensée et il m'était même arrivé, à l'instar de mes confrères, de suggérer par naïveté une solution à un tribunal. Pure folie !

Bien mieux, sa tentative échouait sur un autre écueil funeste : il insinuait par sa plaidoirie que les attouchements sur la victime pouvaient, d'un trait de plume, s'effacer par l'effet d'une simple magie de l'intelligence, alors qu'ils *existaient publiquement* par l'effet de l'audience : c'était un outrage conséquent à la partie civile.

De fait, l'effacement de ces gestes ne pouvait être proposé, dans une logique subtile et paradoxale, que depuis ma place exclusive du ministère public : non tant parce que j'incarnais l'organe à l'origine des poursuites, mais parce que j'étais du *sérail* des magistrats et que j'autorisais chez mes collègues, par mon questionnement horizontal, une manifestation de leur pouvoir. Dans notre système judiciaire, la meilleure défense n'est pas l'attaque, mais l'accusation. Tous les parquets devraient être fournis en anciens avocats.

Le tribunal se retira pour délibérer. Je restais seul à ma place, m'arrachant les poils des oreilles. Je ne voyais rien de mieux à faire mais j'épiais d'un œil Me Hetzig qui, tournant en rond, pouvait être tenté de venir m'arroser comme un potager par amour de la conversation ; je me tenais prêt à m'enfuir. Sandrine avait disparu, emportant avec elle ses deux seins personnels dont le souvenir pourrait bien habiter pendant quelques soirées mon démembrement affectif : en sortant, il m'apparaissait urgent de m'offrir par précaution un astucieux recueil de sudoku.

L'air de rien, à s'amuser comme ça en discutant entre nous, il était déjà 17 heures. J'avais faim, mais sur un mode presque imaginaire. Les retraités n'allaient pas tarder à nous quitter. Bientôt, avec le vieillissement diagnostiqué de la population occidentale et l'enthousiasmante société du troisième âge qui nous guettait, nous ferions sûrement salle comble : nos prestations pourraient muter vers de grands shows populaires, peut-être en plein air, où nos talents s'amplifieraient dans des micros multipistes, comme les rock stars télévisuelles. Il me tardait d'être vieux pour voir ça.

Le tribunal fit sa réapparition au bout de quinze minutes de délibéré, l'air pénétré par la décision à annoncer. Andréa A. s'avança, suivi de son avocat. Il avait un air hagard, celui qui se dessine le long des audiences, à mesure que le sort se joue et devient imminent. Ce moment du verdict me fascinait toujours un peu : quel que soit le risque pénal encouru, il était toujours, pour le prévenu, l'instant d'un surmoi singulier, celui d'un stoïcisme éducatif fortement apprécié des tribunaux qui abhorrent les manifestations hystériques, appelé également *contrôle de soi* dans les stages cognitivo-comportementalistes de perfectionnement personnel. Le président lut ses notes : trois mois d'emprisonnement assortis d'un sursis avec mise à l'épreuve, avec obligation de soins. Il précisa d'un ton expéditif :

— Voilà, monsieur, cela signifie que, pendant deux ans, vous serez soumis à une obligation de suivi médical qui sera contrôlée par le juge d'application des peines. Si vous vous y soustrayez, pour une raison ou une autre, vous pourriez être amené à exécuter les trois mois de prison.

Vous devrez payer également 2 000 euros à la partie civile. Vous pouvez disposer.

Me Octave se tourna vers moi, comme pour communier son sentiment. Je lus chez lui une sorte de ligne de partage, entre stupéfaction et résignation. Pourtant, par expérience, les avocats s'attendent toujours à tout des tribunaux, surtout au pire : ils ne sont donc jamais vraiment surpris. C'est ce qu'il est convenu d'appeler *l'aléa judiciaire.* De fait, leur colère éventuelle est généralement éteinte. Au mieux, pour manifester leur insatisfaction ou celle de leurs clients, ils forment un appel, mais à l'issue tout autant incertaine.

Trois mois de prison avec sursis ! Je sentis que je glissais dans la détresse de cet amoureux pathétique et dans la honte réactivée pour ma fonction : quel sens quelconque pouvait-on donner publiquement à ces condamnations d'une tiédeur intermédiaire ? En écartant la simple violation de domicile, le tribunal considérait donc avoir été confronté à une agression sexuelle caractérisée. Pourquoi alors ces trois pauvres mois à l'allure symbolique, inscrivant cependant ce faible garçon comme délinquant sexuel dans les fichiers judiciaires, pour des années ? Pourquoi cette obligation de soins ridicule, comme si la maladresse amoureuse était une maladie ?

Nous touchions tous là le fond du désastre judiciaire. Celui d'une triste convention, nourrie de compromis empiriques, d'indifférence arbitraire et d'outils légaux inadaptés ; le noyau organique de la justice ordinaire.

Heureusement pour tout le monde, Me Rivatte fit son apparition. L'esprit de malaise informulé qui flottait dans l'air disparut d'un coup, à jamais. Il faut dire que des êtres comme Me Rivatte étaient appréciés du lieu, avec lui les inconséquences professionnelles s'oubliaient magiquement : c'était un handicapé *drôle*. Malgré son fauteuil roulant, il faisait de l'humour de manière insistante.

Dès mon arrivée, j'avais même senti une convocation par le groupe social à partager la ferveur déférente qui entourait quotidiennement ses apparitions : le drame personnel et le sublime forment une entente sans concurrence, comme la chimie idéale d'un état inaccessible.

Cette mascotte locale avait fait son entrée dans ma vie un jour de permanence. Ma greffière d'alors s'était soudainement humidifiée d'émotion ; j'avais donc glissé un œil vers lui depuis ma conversation téléphonique. Cet instant isolé et suspendu avait suffi à sceller nos rapports : je n'étais visiblement pas son genre humain, il y avait peu de chance que nous entretenions un jour des relations homosexuelles, même amicales. Il était venu solliciter la communication des procès-verbaux d'audition d'un de ses clients habituels, en garde à vue depuis une trentaine d'heures ; requête impossible à satisfaire, au regard du secret de l'enquête.

De son agacement, il avait fabriqué une curieuse forme de minauderie d'enfant rarement contrarié : il avait tenté de faire jouer entre nous une sorte de complicité de faveur, comme si j'étais l'héritier immédiat de son capital de sympathie, m'expliquant avec un air de proximité détachée qu'il avait conscience du caractère exceptionnel de sa requête mais que ses *contraintes personnelles* l'obligeaient à « couper certains angles ». Une pantomime grammaticale que j'avais cessé instantanément d'écouter. Il était incompréhensible qu'un avocat puisse espérer avoir satisfaction à une telle demande. Avait-il voulu me tester ou avait-il déjà obtenu de tels privilèges exorbitants ? Quand il repartit, ma greffière avait l'œil noir, mais j'ignorais à l'égard de qui.

Me Rivatte entrait donc à l'audience avec l'apaisement de son auréole naturelle et différenciée. Il venait tardivement solliciter le renvoi du dossier de stupéfiants qui devait suivre : quatre prévenus impliqués dans un misérable trafic local de cannabis, dont le but principal était finalement de pourvoir à leur consommation ; quatre bras cassés, à peine majeurs, contre lesquels le parquet avait dévotement dressé l'artillerie lourde de la loi : dix ans d'emprisonnement encourus, outre des amendes douanières dont l'esprit de mesure s'inspirait étrangement de celui des redressements fiscaux.

Me Rivatte défendait l'un d'eux, qui venait sur la route d'être victime d'un accident. Un second prévenu étant absent pour avoir trouvé du travail à l'autre bout du pays, le renvoi du dossier à une prochaine audience s'avérait opportun.

Le président écoutait les explications de l'avocat avec une amicale componction : on les voyait parfois déjeuner ensemble à une terrasse proche du palais. Me Rivatte utilisait tous les ressorts de son intelligence sociale : une déférence rieuse et distanciée sur fond d'évidence partagée ; tout le lexique de ceux qui s'entendent dans l'exercice décentralisé de la souveraineté.

Je n'avais, pour ma part, aucune envie d'accéder à la demande de renvoi de l'affaire. Non évidemment pour l'urgence d'une sanction pénale dont le sens même m'échappait, ni pour m'opposer caractériellement aux viscosités publiques de ces amitiés judiciaires, mais plus simplement pour m'éviter le courroux de ma proche hiérarchie : le report d'un dossier programmé pour deux heures d'audience est un drame d'une qualité supérieure encore à la relaxe.

Le citoyen standardisé se figure souvent mal les impératifs convulsifs de l'administration. Par exemple, il ignore sûrement que le procureur d'un tribunal se tire les cheveux (c'est le diagnostic scientifique des tonsures) pour audiencer les piles de dossiers en attente d'être jugés. Mon procureur nain les désignait d'ailleurs comme des dossiers *en souffrance* (bien sûr, il fantasmait doucement : personne ne les avait jamais entendus crier ; ils faisaient d'ailleurs moins de bruit que ma voisine de bureau). Aussi, un créneau de deux ou trois heures programmé pour juger une affaire à plusieurs prévenus est une sorte de pépite rare à sauvegarder jalousement. Son report éventuel représente logiquement un gâchis lamentable.

Hormis la désorganisation ponctuelle des audiences, les juges du siège se sont longuement tenus dans l'indifférence affectée pour ces questions : ils reportaient allégrement une affaire qu'ils estimaient ne pouvoir être jugée dans de bonnes conditions. Les stocks de dossiers en attente n'intéressaient que le parquet, seul maître des poursuites et de leur audiencement. L'idée d'intéresser les deux parties (siège et parquet) à l'écoulement des stocks a surgi dans le même temps que les nouvelles dispositions budgétaires (dite LOLF, par pure poésie bureaucratique) en ont fait un indicateur à crédits. Désormais, le président et le procureur se réunissaient donc épisodiquement pour constituer, dans une belle harmonie opératoire, les audiences à venir.

Le siège y a aussitôt perdu son âme : en collaborant ainsi activement à la politique pénale des parquets dont l'esprit répressif a enflé à mesure des campagnes électorales sur le sentiment public d'insécurité, il a cessé d'être le lieu souverain d'appréciation des choix du ministère public et est devenu le facilitateur des poursuites, alors même que la logique d'État de celles-ci continue de lui échapper. Pauvre justice donc, qui se calcifie doucement au plaisir du chant des crapauds budgétaires...

— Que pense le ministère public de la demande de renvoi de ce dossier ? fit le président.

— Mmmmppfttt, répondis-je vaguement, dans une longue expiration dénuée d'inspiration.

— C'est-à-dire ? demanda le président après un silence.

— Cosmologiquement, le ministère public ne peut que s'opposer à la demande, précisais-je.

— Cosmologiquement ?

— Cosmologiquement.

— C'est tout ? Pas d'argument supplémentaire ?

— C'est tout, monsieur le président.

— Bien... Notez, madame la greffière... Le tribunal se retire pour délibérer sur la demande.

Je devinais à l'avance les remontrances nerveuses qui m'attendaient de la part de mon chef :

— Qu'est-ce que ça veut dire cosmologiquement ? Vous auriez quand même pu argumenter que le prévenu absent était représenté par un avocat et qu'on pouvait retenir l'affaire ! Quant à l'autre, il aurait pu se libérer pour l'audience, tant pis pour lui ! Et la relaxe pour la piscine, qu'est-ce que c'est que ces réquisitions sans peine ? Vous vous moquez du monde, monsieur Lanos ?

Je soupirerais, sur un mode professionnel vaguement invalidé. J'hésiterais, un instant, à lui faire part de mon sentiment qu'une audience était faite pour juger des individus et non un dossier, que leur absence, de surcroît justifiée, m'apparaissait un obstacle légitime puis, m'apercevant finalement que j'adopterais la position d'un avocat, je concentrerais alors mon énergie disponible à dessiner visuellement sur sa cravate rouge sang une représentation lacanienne des seins de Sandrine.

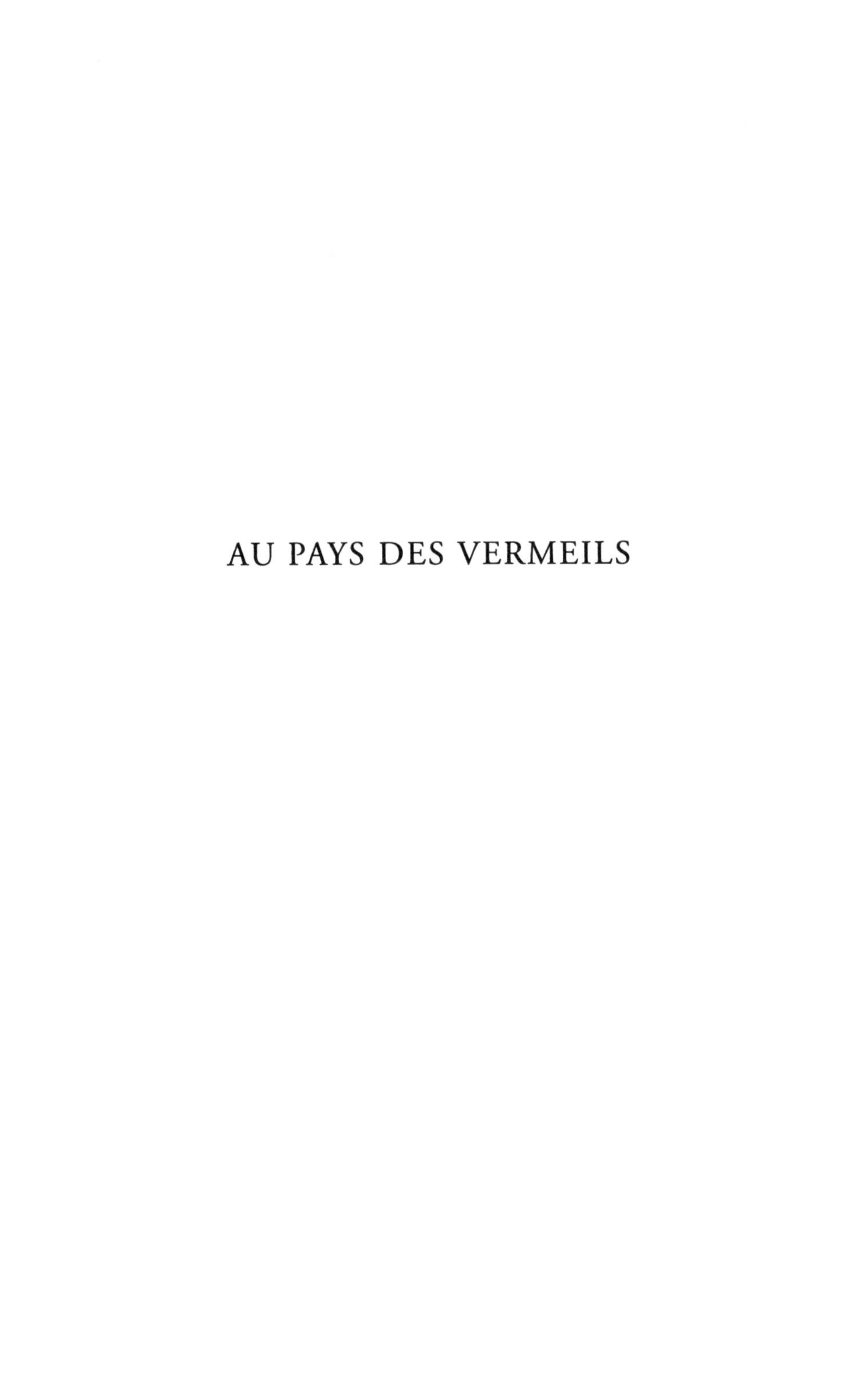

AU PAYS DES VERMEILS

En entrant sans trop regarder dans la magistrature, j'ignorais que j'allais du coup me transformer irrémédiablement et à mon insu en animal politique, véritable apparatchik de l'intérêt national. La question grotesque mais majeure de la *sécurité* qui intoxiquait depuis quelques années le débat public n'influençait pas seulement les issues électorales : l'œuvre de justice se retrouvait au cœur même du dispositif des promesses inconséquentes. La pensée socialiste, héritière floue d'une idée vague et encombrante de la liberté de l'homme, se démenait contre ce courant à l'ampleur occidentale pour retarder la date de sa noyade annoncée. La pensée libérale, elle, savait que la question sécuritaire s'épanouissait à l'ombre du vieillissement prometteur de la population civile et que les peurs irrationnelles de la société du troisième âge étaient indissociables des bénéfices des fonds de pension.

Depuis le début des années 2000, la politique pénale publique s'était donc livrée à une reprise en main des laxismes judiciaires, à coups de statistiques effrénées et de carottes budgétaires.

Dans le temps préhistorique des années 1990, les magistrats du parquet disposaient encore, pour donner une suite à chaque dossier, d'une nomenclature de choix validés par le ministère. Schématiquement, les options se découpaient en trois hypothèses : poursuites impossibles du fait de motifs juridiques (auteur inconnu ou décédé, absence d'infraction ou infraction insuffisamment caractérisée, prescription des infractions...), poursuites inopportunes (carence ou désistement du plaignant, comportement de la victime, préjudice ou trouble peu important...) et mesures alternatives aux poursuites (indemnisation de la victime par l'auteur, rappel à la loi...). Le durcissement progressif de la répression publique s'est concentré sur les deux dernières rubriques.

D'une part, les options « poursuites inopportunes » faisaient référence à un pouvoir constitutif du parquet qui s'appelait *l'opportunité des poursuites.* Ce pouvoir permettait à tout membre du ministère public d'apprécier, en son âme et conscience de magistrat, la solution convenable à apporter à un dossier : soit un classement sans suite, soit une poursuite devant le tribunal, soit enfin une mesure alternative. Ainsi, lorsque le dossier mentionnait que la victime n'avait jamais déféré aux convocations de l'enquêteur, ou qu'elle était autant à l'origine du préjudice que l'auteur désigné, ou que la plainte concernait des faits insignifiants comme une gifle entre membres d'une même famille ou quelques mots d'oiseaux entre voisins, le magistrat du parquet pouvait exercer son droit d'opportunité et classer l'affaire. Il en était de même quand, par exemple, une victime retirait sa plainte, qu'un arrangement était intervenu entre les parties, que l'auteur désigné s'avérait introuvable ou qu'il était manifestement dans un état mental déficient.

Ce droit d'appréciation s'est éteint : chaque année, lors de la rentrée solennelle de chaque tribunal, les procureurs peuvent, dans leur discours, arborer fièrement un nouveau concept scientifico-administratif conçu par la chancellerie : leur *taux de réponse pénale.* Ce joyau n'est rien d'autre que la mort publique du classement d'opportunité : il consiste à ne prendre en compte que les suites positives (c'est-à-dire hors classement) des infractions dites « poursuivables ».

Mon procureur nain s'activait avec passion à cet enjeu de réussite professionnelle : aucun retrait de plainte, aucune transaction, aucun débile mental, aucun contexte familial ni caractère dérisoire de l'infraction ne pouvait affecter son taux de réponse pénale. Dès qu'il y avait une plainte quelconque, même désaffectée par la suite, un outil répressif se mettait en marche. Et même au-delà : pour mieux encore satisfaire les statistiques ministérielles, il commençait à traquer les classements pour « infraction insuffisamment caractérisée » dans lesquels les substituts les plus sensibles se réfugiaient par dépit : régulièrement, il se faisait communiquer les dossiers ainsi classés, les épluchait puis, aux réunions-parquet, la pile sous le bras, sermonnait les coupables d'abus et redistribuait les dossiers.

J'observais avec fatalité ce zèle imbécile et égotiste et je me disais que, par cet esprit de carrière à l'obéissance empressée, allant jusqu'à éradiquer son propre pouvoir d'opportunité, il se tirait une balle dans le pied. Bien mieux, il participait avec ardeur à la disparition programmée de sa fonction : agent de simple exécution statistique des poursuites, sans discernement personnel, il avait choisi de cesser d'être lui-même un « garant des libertés individuelles » et abandonnait ce rôle à la seule vigilance des juges du siège. La morale de la fable était simple, finalement : en quelques années de soumission hiérarchique, les magistrats du parquet avaient cessé d'être des magistrats.

D'autre part, dans leur souci de bien communiquer sur la lutte contre l'insécurité, les pouvoirs publics ont, par la loi, doté la procédure pénale de nouveaux outils propres à favoriser les bonnes statistiques électorales tout en aidant les parquets à supprimer les classements problématiques et à désengorger les audiences : c'est ainsi que sont apparues l'*ordonnance pénale délictuelle*, la *composition pénale* et la *comparution sur reconnaissance préalable de culpabilité* (CRPC), appelée également « plaider-coupable ». L'instauration de ces nouveaux procédés de sanction a beaucoup compté sur l'ignorance juridique soigneusement entretenue des citoyens, pourtant tous justiciables potentiels : les non-dits proches du mensonge ont fleuri.

Pour faire simple, la première mesure (l'ordonnance pénale délictuelle) est une procédure simplifiée de notification d'une peine pour un délit commis, comme une amende pour une contravention. Seule une contestation (appelée opposition) permet un débat devant le tribunal. Les parquets l'utilisent désormais massivement pour, notamment, les conduites en état alcoolique.

Les deux autres procédures sont jumelles : elles partent d'une proposition de peine faite par le parquet au prévenu qui, s'il l'accepte, est validée ensuite par un juge du siège (le terme est « homologuée » pour la CRPC). Les peines sont inscrites au casier judiciaire. La différence majeure est que la composition pénale ne peut pas prévoir d'emprisonnement.

Par une étonnante hypocrisie publique, la composition pénale a été présentée comme une nouvelle mesure alternative aux poursuites, aux côtés de la simple réparation et du rappel à la loi. Or, si elle n'est pas une poursuite, pourquoi donc figure-t-elle au casier judiciaire ?

En réalité, si le but de ces nouveaux dispositifs a été de toiletter publiquement les statistiques pénales, les conséquences en ont été désastreuses pour la justice : l'audience, c'est-à-dire le lieu où la culpabilité et la peine surgissent à l'issue d'un débat, se retrouve massivement contournée. La sanction pénale emprunte désormais des circuits courts, de couloir, de papier, de propositions validées, pour alimenter mécaniquement, dans l'uniformisation triomphante des peines, la matrice vorace de l'apaisement social. Définitivement, la fièvre répressive s'est associée au mode dépersonnalisé des poursuites. Pire encore : en sollicitant l'adhésion du prévenu à sa peine, le courage de juger s'est mué en véritable chantage légal, fondé sur la peur prospective de l'audience et sur tous les fantasmes insondables du risque d'une opposition frontale avec le procureur ; peur et fantasmes que, naturellement, les avocats s'avèrent dans la plus parfaite incapacité de rassurer.

Aussi, l'idée même a disparu que, derrière ces infractions poursuivies sans discernement, il existait des contextes, des raisons, des ambiguïtés, des omissions en tout genre, liés aux conditions surchargées des enquêtes, à l'insuffisance des individus eux-mêmes, à leurs peurs, leur éducation, leur langage, tout ce fatras de la condition humaine en mouvement, malmené, interprété, exploité, mal formulé, mal retranscrit, pouvant un instant concerner la fameuse *culture du doute* dont les autorités publiques ont semblé un instant si friandes. Dans ces nouveaux outils de poursuite confidentielle, hors audience, le parquet est en zone franche, avec la complicité incompréhensible des avocats et du siège. Les avocats ne plaident plus : ils deviennent des conseils en stratégie de risque pénal ; les juges ne jugent plus : ils homologuent. Eux aussi ont renoncé à ce qui constituait le fondement même de leur métier : l'individualisation de la peine.

Est-il su qu'une part importante des refus de peine opposés par les prévenus lors de ces nouveaux circuits finissent, à l'audience où ils sont renvoyés, par des sanctions inférieures à celles qui étaient proposées initialement, voire des relaxes ? Est-il su qu'un refus généralisé des prévenus présumés innocents aboutirait à une paralysie immédiate de cette fureur répressive qui commence à s'émerveiller d'elle-même ?

L'apathie est inexplicable. Le désir de mort de l'humanité est-il donc si fort ?

Je frappai à la porte puis j'entrai, à 8 h 48. Je le trouvai derrière son bureau de fer, se levant pour me tendre la main avec un sourire débarrassé de toute empreinte matinale, tout propre dans son beau costume croisé gris perle, la cravate noire (mais sans tête de mort). J'observai ce lieu étrange, sorte de remise réaménagée en fond de couloir, à la fadeur tout opérationnelle, avec une fenêtre grillagée sur l'extérieur et des néons de pure tradition stalinienne au plafond, dans l'esprit idéal de sa fonction : c'était le bureau tout dédié au délégué du procureur.

— Merci de cette visite, monsieur le substitut. Le parquet me rend rarement une telle visite, je suis ravi.

Sa diction était ferme, sans doute à l'image de ses convictions. Peu de gens savent prononcer « substitut » sans buter. La langue française permet mal, sans un effort particulier, d'affronter ainsi trois consonnes successives dont chacune doit être entendue. Généralement, la diction s'enfonce mollement dans la première syllabe, avec pour effet, dans une conscience immédiate du désastre, de plonger les deux suivantes dans un bouillon de survie. Ce mot a, de fait, une existence publique plutôt honteuse. La solution que je préconiserais est celle d'attaquer fermement le *b*, de front et sans peur, de laisser ensuite glisser le *s* par un léger retrait de la langue, puis de réattaquer le *t* avec un bon esprit de soutien. Passer l'obstacle est à ce prix exclusif : je m'y étais suffisamment entraîné. Je considérais même désormais que ceux qui maîtrisaient l'exercice s'étaient nécessairement penchés un jour sur la question et je me laissais aller à l'idée qu'il pouvait s'agir d'une forme de révérence professionnelle. Je me devais donc d'être courtois.

— C'est une bonne petite matinée, fit-il avec entrain, une vingtaine de dossiers, avec un peu de tout. Et des dossiers qui me viennent d'ailleurs de vous, précisa-t-il avec un nouveau sourire complice.

Je devais sûrement prendre ça pour un compliment. Le délégué du procureur est un être de condition judiciaire subalterne, généralement retraité de la police ou de la gendarmerie, qui arrondit ses fins de mois avec les subsides misérables versés pour ses missions par le ministère de la Justice et qui, généralement, explique sa présence par le souci de conserver une activité marginale et intéressante. En réalité, la plupart sont là pour ne pas *perdre la main*. De fait, le délégué répond à deux types généraux de missions : soit notifier aux auteurs d'infraction le rappel à la loi décidé par le parquet, soit leur notifier les peines envisagées dans le cadre des compositions pénales.

Aujourd'hui, c'était une matinée « rappel à la loi ».

J'avais décidé un jour d'assister à une de ces « audiences » particulières, toujours confinées en fond de cave, et dont finalement j'ignorais tout. Le procureur s'était un peu allumé à mon projet et m'y avait fortement encouragé : il y avait peut-être curieusement vu une forme de motivation professionnelle de ma part.

Le premier convoqué entra dans la pièce et s'assit maladroitement sur l'une des deux chaises plastifiées en face du bureau. Il était bras nus, épaules dégagées, sûrement pour dévoiler les tatouages multiples qui le décoraient comme un sapin de Noël. Des rouflaquettes impressionnantes lui donnaient un air brun, trop meublé, mais agréablement démodé. Il ressemblait en fait à un braqueur de banque de série américaine. C'était du lourd. Il était convoqué pour avoir, un jour d'énervement, dit : « Vous m'emmerdez » à un agent municipal. Du lourd, effectivement... L'agent s'était empressé d'aller déposer plainte, par principe. Il ne réclamait aucune réparation : c'était rare.

Le délégué résuma les faits et l'incrimination : outrage à personne dépositaire de l'autorité publique. Il expliqua qu'il avait reçu mission du procureur pour lui délivrer un rappel à la loi : il s'agissait d'un régime de faveur exceptionnel car l'infraction pouvait à l'évidence mériter une citation devant un tribunal. Il n'était donc plus question, à l'avenir, de la moindre réitération, avait-il bien compris ?

Le tatoué se grattait abondamment les poils. Ses yeux gris-bleu fixaient son interlocuteur dans une intelligence attentive, un peu rupestre mais comme vacancière à la fois.

— Dire « vous m'emmerdez » n'est pas un outrage,

monsieur le juge, c'est un gros mot. Je regrette, bien sûr, j'aurais pas dû, mais c'est pas un outrage.

— Je ne suis pas juge, je suis le délégué du procureur. Monsieur, il ne m'appartient pas de discuter avec vous du fond de l'affaire, le procureur a estimé qu'il s'agissait d'une infraction. Je suis simplement là pour vous notifier un rappel à la loi.

— Ah... ? Mais alors, monsieur, si j'avais dit à l'agent : « Vous m'ennuyez », ça aurait été exactement la même chose, non ? Mais en plus poli. Est-ce que ça aussi, ça aurait été un outrage ? C'est mon impolitesse qu'on me reproche, c'est tout !

J'observais mon pauvre délégué de profil. Il s'était tout conditionné pour accueillir le substitut en cette matinée, heureux à l'avance de montrer combien il incarnait, à son niveau, la rigueur nécessaire, inflexible, redoutée, du ministère public et de la justice en général. Il serrait les mâchoires pour me désigner sa maîtrise totale : il n'était jamais, lui, sur le point de subir un outrage. Pour un peu, il aurait aimé dégainer son colt pour le poser sur la table, en évidence, simplement par esprit d'efficacité et de pacification.

— Bon, monsieur, je vous notifie un rappel à la loi. Je vous invite à signer ce document. Autrement, le procureur pourrait vous citer à une audience et là, je vous l'annonce, ce sera une autre paire de manches.

— Je signe rien du tout, c'est n'importe quoi.

Le tatoué se leva et, en partant, nous fit un petit salut militaire. Je trouvai que nous le méritions bien.

Le délégué fit quelques mouvements de la tête, comme certains chiens artificiels à l'arrière des voitures, pour me signifier la pénibilité de sa tâche, puis gratta sur le formulaire quelques lignes indiquant que le rappel à la loi n'avait « manifestement pas été compris ».

Je me demandai ce que mes bons collègues feraient du retour de ce dossier en échec. Citeraient-ils à une audience ? Considéreraient-ils que le rappel à la loi avait été exécuté, sans nécessairement devoir être *compris* ? Quelle chance avait ce dossier minable à une audience ? Ce tatoué avait, à mon sens, éminemment raison : son invective n'était pas un outrage ; dire à un agent « vous êtes un con » est un outrage, mais « vous m'emmerdez » n'est que l'expression incorrecte d'un sentiment personnel, comme « vous me faites penser à ma belle-mère ». J'étais persuadé cependant qu'une condamnation était probable, dans la belle orthodoxie morale de l'ordre public.

La convocation suivante concernait une jeune Gitane qui avait volé quelques victuailles dans un supermarché : une vingtaine d'années déjà flétries, un nourrisson au sein, une fillette de trois ans aux pieds, les parents derrière. Le délégué expliqua que la convocation ne concernait que la jeune femme et demanda aux parents d'aller garder les petits dehors. La mère, désignant sa fille, dit :

— Parle pas français.

Nous restâmes donc en l'état.

Le délégué répéta son texte, sa mission. En face, une armée d'yeux ronds nous dévisageait. De beaux yeux d'ailleurs, denses et émouvants.

— Vous avez compris ce que je vous ai dit ?

Un silence explicite nous répondit. Puis les parents commencèrent à parler avec leur fille dans une langue inconnue, sombre et comme maritime. La mère se tourna ensuite vers nous :

— Crotté pui soubré lé figatt dé police ourli tar !

— Madame, est-ce que vous, et surtout votre fille, avez compris ce que j'ai dit ?

La mère fit un geste de travers, entre le oui et le non :

— Ak mounour fra del fille, crasé a dou étré Casino, esté dou naltoc vary... dé saucisson !

Le délégué se tourna vers moi, pendant que la pauvre mère nous réexpliquait le dossier. Il soupira et me demanda en aparté :

— Vous comprenez quelque chose ?

Je fis non de la tête, précisant cependant :

— De toute façon, je ne comprends rien à cette matinée.

Le délégué écouta un instant cette belle ligne sonore, remplie de conviction gestuelle et qui pouvait ressembler, à certains égards, à des moments de musique acousmatique. Puis il interrompit tout et mit la famille à la porte. Il nota sur son formulaire de transmission : « Rappel à la loi impossible. Ne comprend pas le français. »

Nous étions en retard sur le programme, il fila dans le couloir : aucun des deux convoqués suivants n'était présent.

J'en profitai pour prendre congé, expliquant que cette

expérience avait été très enrichissante et me suffisait pour l'instant.

Je voyais bien qu'il ruminait déjà son désaveu. Pauvre délégué... Pauvre relégué plutôt : sans bureau digne, sans autorité ni vrai colt, sans le moindre pouvoir d'appréciation, sans même une tête de mort sur sa cravate sauf une, peut-être, énorme, en projection au fond de son âme déçue.

En repartant, je repensai sans raison précise au mot « substitut » car, pendant que la mère gitane nous parlait, des arabesques linguistiques étaient venues danser lentement sur la pointe de mes songes : je me dis que l'une des difficultés de ce mot tenait au fait qu'il était généralement précédé de « monsieur » : monsieur le substitut. Et j'observai que l'expression « madame le substitut » ou « madame la substitute » offrait moins de résistance. Comme si le premier *s* dans monsieur créait un endormissement préalable de la langue, contre lequel il fallait nécessairement lutter, se rebiffer presque. D'un autre côté, des cousinages au même cœur sombre se laissaient un peu mieux mâchonner : « obstiné », « arbre »...

Je me dis alors, sans autre forme de conséquence immédiate, que le langage portait en lui-même des formes secondaires d'abandon, des fainéantises convulsives ou des renoncements associés de l'esprit. Qu'il fallait donc s'en méfier. Je me demandai si une psychanalyse ne me ferait pas du bien.

Une journée à l'allure étrange m'avait soudainement posté à la fenêtre de mon bureau, une gomme fade entre les dents. Depuis la matinée déjà, une bruine compacte s'était installée sur la ville, comme un brumisateur géant : elle recouvrait les surfaces publiques et les souliers des passants d'un tendre vernis phosphorescent. Dans les arthroses articulaires du vieillissement de nos concitoyens, elle générerait nécessairement de nouvelles données statistiques à destination du ministère de la Santé (statistiques reprises ensuite par l'Agence européenne pour la sécurité et la santé dans le travail, d'où il résultait que les douleurs dorsales représentaient la première cause des maladies professionnelles répertoriées, avant même le stress). C'était dire.

Au cours de l'après-midi, sous mes yeux inquiets et remplis d'observation, le ciel s'était irrésistiblement fixé dans une immobilité non usuelle, comme un égarement dans un tableau de Delvaux. Tout pouvait arriver : une accélération inexpliquée de la disparition d'espèces vivantes ou la chute imminente d'une flammeküeche industrielle de douze tonnes, ici, au centre géographique du parking, sous ma fenêtre. Il est vrai que, dans un moment pareil, les hypothèses étaient multiples.

Je sentais que ma concentration à fort rendement s'en trouvait affectée. Surtout, je contemplais la possibilité, dans ce moment en forme d'étape, d'être progressivement entré en familiarité avec la délinquance officielle, et que tout cela pouvait finalement devenir du réel.

Pratiquement tous les jours ouvrables, des comparutions immédiates pleuvaient sur le tribunal. Il faut dire que la comparution immédiate était de plus en plus à la mode (de chez nous) : elle était devenue même un signe de bonne santé de l'institution.

Schématiquement, la comparution immédiate est une procédure de type expéditif qui permet de condamner un auteur d'infraction dès sa sortie de garde à vue, selon des critères plus ou moins définis mais tenant principalement soit à la gravité du délit (par exemple violences conjugales ou infraction commise sur la voie publique), soit au profil de l'intéressé (récidiviste, sans domicile fixe...), soit aux deux.

La comparution immédiate est truffée de bonnes vertus : elle donne l'image d'une justice réactive, elle maintient sous clés ceux qui pourraient être tentés de disparaître dans la nature, elle permet une mise à exécution instantanée de la condamnation. De surcroît, son esprit d'excitation permet d'infliger des peines beaucoup plus lourdes qu'aux audiences correctionnelles classiques. Donc plus satisfaisantes.

La tentation d'y recourir a ainsi été immense : chaque année, toujours dans leurs discours de rentrée solennelle, les procureurs doivent pouvoir s'honorer d'avoir des chiffres en augmentation soutenue sur cette pratique valorisante.

Ainsi, chaque jour pratiquement, dans une belle métronomie répressive qui donnait lieu parfois à des échos rabougris dans les pages décourageantes du journal local, la justice de l'urgence déstockait. Pas les prisons.

De leur côté, les prévenus se ressemblaient étrangement : principalement des êtres faibles, épars, en difficulté psychologique et en errance sociale, crasseux, sans travail, sans famille identifiable, alcoolo-dépendants, n'offrant que peu d'utilité collective : les figures comme idéales du sentiment d'insécurité.

Certains étaient presque des amis : ils nous visitaient à chacun de leurs sas de décompression entre deux incarcérations. Ils finissaient par nous reconnaître, nous confisquions leur voiture sans permis, nous rappelions leur passé judiciaire, nous requérions de plus en plus lourdement.

Parfois, un intrus se glissait, peu identifié par la machine malgré ses signes tangibles d'effarement.

Ainsi ce grand-père qui, un jour d'anniversaire trop festif au restaurant-bowling, s'était fait sortir par le service de sécurité : il avait atterri sur le gravier, devant toute sa famille, humilié devant ses petits-enfants. Il était revenu seul quelques minutes plus tard et, extirpant le fusil de chasse de son coffre, avait tiré deux coups en direction du toit de l'établissement.

J'expliquais au tribunal que la procédure de comparution immédiate se justifiait par l'usage d'une arme à feu sur la voie publique mais que, en l'absence d'antécédents judiciaires, une forte peine avec sursis, avec confiscation de l'arme, solderait proprement cette colère excessive. Résultat immédiat : quatre mois fermes.

Ainsi, ce cadre pris en récidive de conduite en état alcoolique, à fort taux mais dont la précédente condamnation remontait à plus de quatre ans : il venait de perdre sa mère. Trois mois fermes.

Que dire de cet incendiaire de poubelles, récidiviste alarmant, à la déraison déployée mais pour lequel aucune expertise psychiatrique n'avait été diligentée, muré dans un déni sans explications ? Quatre ans fermes, selon les souhaits planchers de notre bon législateur.

Devant mon abattement naïf, le procureur haussa les épaules. Hervé Rident, qui le collait à la culotte, eut un sourire mauvais : « C'est dur, hein ? Mais c'est la loi, mon vieux, faut s'y faire... » J'en parlai à Stanislas Wanz, sans doute par pur dépit. Il m'expliqua que les procureurs avaient reçu instruction, par voie hiérarchique et sous peine de sanctions professionnelles, de toujours viser la récidive quand elle était possible, pour favoriser l'application des peines planchers. Le droit d'opportunité avait là aussi disparu, jusque dans l'appréciation de l'état de récidive des prévenus. C'était l'obéissance générale sous menace disciplinaire ; comme à l'armée en somme. Dans le pays des droits de l'homme, ce qui n'était pas interdit était donc devenu obligatoire.

Je retournai à ma permanence du ministère public, plus ministériel que jamais, imbibé de l'esprit public, mais carencé un peu, sur les bords, dans mon appartenance au genre humain.

Le lendemain était un vendredi, achèvement de ma semaine de permanence. La seule comparution immédiate qui s'annonçait concernait un rasta interpellé de nouveau avec quelques grammes de shit, malgré deux avertissements précédents : un choc des cultures, un truc pas très roots... À l'audience, il parla peu : ici, pour lui, c'était Babylone. Nos âmes respectives étaient trop incompatibles. Il avait raison, bien sûr, chaque mot l'aurait desservi. Mais le tribunal prit curieusement ça pour une manifestation d'indifférence méprisante. Il est vrai que l'ignorance culturelle de la planète est une condition indispensable à une bonne pratique judiciaire.

Le président finit par me donner la parole :

— Monsieur le président, mesdames du tribunal, fis-je péniblement, le tribunal sait-il que de récentes études scientifiques pratiquées sur des rats, le petit frère comportemental de l'homme, ont établi qu'à 94 % le goût sucré était préféré aux sensations artificielles de la cocaïne ? Cette révélation est d'importance : elle est de nature à expliquer les phénomènes de surconsommation et de surendettement pondéral des sociétés occidentales : les effets récompensants du sucre surpassent ceux des paradis artificiels. Quel camouflet pour la culture millénaire des fumeries d'opium, le tourisme à Amsterdam et la poésie française du XIXe siècle ! Mais finalement, donc, nous sommes tous des drogués patentés du sucre et le ravage des maladies cardio-vasculaires est conséquent. Dans la médecine chinoise, le couple Clair-Trouble aide à dissocier le Pur et l'Impur sans jamais les juger, car ils appartiennent à deux états naturels de l'homme : simplement, les souffles clairs et purs sont retenus, ils montent au cœur et au cerveau, les souffles troubles et impurs descendent aux intestins et à la vessie, aux orifices inférieurs.

Je levai le poing :

— Nous sommes ainsi tous unis, tous semblables, dans notre fonction d'élimination, que ce soit de sucre ou de produits stupéfiants. La seule question qui se pose à nous est donc la suivante : qu'est-ce qui, chez nous, monte à notre cerveau, qui représenterait une belle élévation de notre condition ? Je le dis au tribunal avec force : il est temps que nous arrêtions le sucre. Cette exigence m'apparaît universelle. Je requiers donc une peine avec sursis et mise à l'épreuve, impliquant une obligation de soins.

Je me rassis, épuisé par ma semaine. Le tribunal me regardait, sans un mot. Un curieux silence s'était installé. Rastaman, qui avait gardé les yeux sur ses chaussures, leva le nez vers moi. Dans un geste lent et silencieux, il hissa un pouce vertical vers le plafond. Une immense communion s'instaura autour de ce geste si simple qui, je le savais, marquerait la mémoire de cette audience. Un peu comme à la sortie de la chapelle Sixtine.

Après délibération, il écopa de trois mois d'emprisonnement avec sursis-mise à l'épreuve et obligation de soins.

Semez la dérision, il en restera toujours quelque chose...

La petite troupe avançait dans un ordre maladroit, en vrac, comme un conglomérat de cadres énergiques lors d'un séminaire d'entreprise ou un groupe de touristes en short à l'entrée du temple de Louksor : même errance collective, mêmes ébahissements stupides avant la photo souvenir. Ils étaient cinq magistrats du siège et deux du parquet, invités à cette visite de la maison d'arrêt que, d'initiative, j'avais organisée depuis que mes attributions au service de l'exécution des peines m'avaient porté à fréquenter l'établissement au moins une fois par semaine au titre des audiences dites de « CAP » (commissions d'application des peines).

Je m'étais rapidement avisé que, même s'ils participaient tous, par leurs décisions d'emprisonnement, au peuplement actif de l'établissement, aucun d'eux n'avait une idée précise du lieu : à une époque plus ou moins lointaine, un vague stage en milieu carcéral avait agrémenté leur douce formation d'auditeurs de justice, mais, depuis, leur qualité supérieure d'êtres aimantés par la face lumineuse de la loi les avait comme enduits d'une distance élastique et statutaire avec ces choses. Ils en conservaient sûrement une mémoire tendue et contrariée.

Le directeur de la maison d'arrêt ne cachait pas sa satisfaction de nous ouvrir les portes renforcées de sa caverne : il m'avait pour ainsi dire soufflé l'idée, à l'occasion d'une de nos conversations à l'accent dépressif. C'était un type... intéressant, curieusement indemne après vingt ans de pénitentiaire, pagayant toujours en zone intermédiaire, entre désinvolture et suicide. À ce sujet, et d'une certaine manière, le suicide ne le quittait pas vraiment : il le vivait régulièrement, par procuration, parmi ceux qu'il hébergeait. Mais c'était à peine des suicides d'ailleurs, plutôt des épiphénomènes du lieu, admis, presque logiques, bien que traités toujours le plus confidentiellement possible. Tout l'esprit de l'administration pénitentiaire y conduisait, par sa rigidité, son angoisse, sa violence. L'enfer carcéral n'est pas la privation de liberté mais la maltraitance institutionnelle. Le directeur savait aussi que tout le monde s'en foutait, à l'extérieur, que c'était même sans doute approuvé. Il semblait avoir trouvé sa sublimation personnelle dans la chute de ses cheveux : avec un peu plus de proximité amicale, j'aurais pu m'amuser à les compter, dressés raides et courts sur son crâne comme des colonnes de Buren.

Le vice-président, également juge des enfants, ouvrait par à-coups une bouche ronde et pointue pour marquer son indignation grandissante à ce qu'il voyait. La nouvelle juge aux affaires familiales avait chaussé des talons hauts, sans doute pour érotiser son approche du milieu fermé.

Elle qui n'en portait habituellement jamais, marquait ainsi le sens aigu de l'adaptation judiciaire. Le trouble imaginaire qu'elle portait sur elle, par une féminité en forte accentuation, devait s'épanouir en de longues masturbations nocturnes, remplies d'érections en fond de cage. La juge d'application des peines signifiait au groupe qu'elle était un peu chez elle ici : elle se comportait comme une ménagère qui reçoit, ouvrant la voie au troupeau dans les couloirs sécurisés, parlant fort pour marquer qu'aucun sentiment d'étrangeté ne l'habitait. Le juge d'instance, lui, était ailleurs, manifestement hors du corps maltraité qu'il donnait à voir et qu'il déplaçait par des glissades de homard. Ils faisaient des ah ! et des oh ! syncopés et ineptes, devant la pièce des douches communes aux carrelages décollés par les champignons et les mycoses, devant les toilettes aux senteurs de pisse javellisée, à l'entrée des cellules de 9 m^2 compactées de quatre condamnés à la mine de défunts, sans chauffage, sans frigo, dans l'obscurité grillagée.

Ils restaient bien à l'extérieur, tendant le cou, la crainte d'être contaminés singeant celle de déranger. Ils s'indignaient entre eux de ces conditions de vie, promettant d'agir sans délai pour que cela cesse. À mesure, ils ressemblaient à des enfants à Disneyland, happés par le plaisir des frayeurs lointaines et protégées. Je découvrais à quel point, finalement, ils étaient quotidiennement inconséquents.

Ma Valérie fermait en permanence la marche du clan, comme une voiture-balai. Elle restait enfermée en elle-même, sans un mot, l'air hostile. Nous n'avions presque plus échangé un mot depuis notre aventure du MacDo et elle semblait d'ailleurs ne plus en échanger avec personne, sinon pour laisser planer des rumeurs peu flatteuses sur mon compte, où il était question d'inaptitudes diverses. Je voyais un peu ce que cette diversité pouvait finalement cibler. Hervé Rident, lui, se tenait carrément à l'écart, avec l'air dur de celui qui sait tout déjà de l'univers carcéral et qui ne fait plus cas de ces contingences secondaires. Dans son esprit, cette visite ne faisait pas les affaires du parquet, elle pouvait fragiliser à terme la politique pénale par une sensiblerie excessive des juges. Cet œil de Moscou rapporterait illico ses impressions à son chef : l'initiative d'une telle visite ne pouvait provenir que d'un esprit subversif et inadapté. Qu'y pouvions-nous si les pouvoirs publics laissaient ainsi se dégrader les prisons ? Fallait-il pour autant laisser les délinquants proliférer en liberté ? Cette perspicacité devrait lui valoir une nouvelle bonne évaluation professionnelle.

À la fin de la visite, je sortis de ma réserve prudente pour remercier publiquement le directeur de sa disponibilité et de sa transparence. Il me gratifia d'un léger sourire de libéré conditionnel. Le troupeau quitta le centre avec l'émotion moite d'une fin de colonie de vacances.

J'observais tous ces individus à l'humanité molle et indifférenciée, qu'ils semblaient vivre par un effet d'extraction : leurs petits soucis personnels, familiaux, financiers, sexuels leur apportaient une forme d'illusion individuelle et singulière, mais au fond ils se ressemblaient, indéfectiblement. Quelque chose au cœur d'eux le confirmait sans cesse. Certains voulaient lutter, coûte que coûte, et prouver qu'une existence particulière était possible : ils prenaient des options dans la vie, ils s'engageaient pour un métier, une passion, une position politique ou même matrimoniale. Hervé Rident, par exemple, semblait croire que son engagement professionnel était un signe de sa singularité originale, qu'il n'était la cible d'aucune convention. Il luttait chaque jour pour cela mais, dans une caverne souterraine de son âme, à l'abri des regards indiscrets, il savait sans la moindre formulation que sa vie était prise dans la même impuissance commune, avec les mêmes veuleries, les mêmes drames et les mêmes rêves d'invention abstraite que les autres. Devant mes yeux, le rôle officiel que se composait chacun commençait à fondre comme du fromage à raclette, le masque perlait sur les chaussettes : l'individu n'existait pas, définitivement, faute de moyens.

J'étais déçu, ça ne faisait aucun doute. À l'audience, elle s'était avancée, empruntée, grasse, laide, traînant une dépression sans tenue. Elle venait, comme les autres, réclamer son chèque indemnitaire destiné à favoriser son *travail de deuil*. Dans la plupart des pays du monde, c'est ainsi : les victimes se transforment en créanciers, parfois usuraires. Ils auraient d'ailleurs tort de se gêner : les tribunaux boursicotent avec l'argent des autres, généralement des auteurs d'infraction contrits, peu en état de regarder à la dépense. À cc titre, c'est un endroit rare que cette audience, où des sommes coquettes sont engagées sans que le débiteur n'ait son mot à dire : les avocats du prévenu désertent le débat qui serait interprété d'emblée comme un affront fait à la victime et donc comme une stratégie suicidaire pour la sanction pénale qui intervient en même temps. La prison se discute, pas la réparation financière. Les tribunaux se retrouvent ainsi en pleine souveraineté et les indemnités accordées relèvent d'une jurisprudence purement verticale et souvent barémée. Jusqu'à présent, il n'est venu à l'esprit de personne que la réparation devait faire l'objet, *systématiquement*, d'une audience séparée destinée à ne pas mélanger les genres.

Elle venait donc réclamer son gros chèque, gros comme ses fesses, dont le paiement était de surcroît garanti par des fonds publics. Je me demandais bien ce qu'elle en ferait : oublier les attouchements subis au moyen d'une cuisine équipée sur mesure ? Ou par une voiture moderne aux attributs largement distinctifs, mais qui la confirmerait aussitôt dans sa relégation sociale ? Ah, je sentais bien que ma désillusion prenait le pas.

Depuis le règlement de ce dossier, quelques mois plus tôt, j'avais nourri une forme d'attente inconsciente : les photographies prises par son oncle (l'auteur également des attouchements) la représentaient à seize ans, en maillot de bain ou seins nus, en vacances. Elle y affichait un air indécis, comme aveugle, l'air d'une enfance incomplète qui donnait l'impression de s'achever un peu dans la précipitation. J'avais été ému et, sans réfléchir, prenant l'album sous le bras, j'étais allé me masturber dans les toilettes *réservées*, sans passion surabondante mais en prenant soin de bien asperger les deux pages centrales les plus incisives. Sur une photo, je m'en souvenais, elle levait une main pour abriter ses yeux du soleil : aux aisselles, quelques poils châtains brillaient dans l'air. J'avais refermé l'album photographique sans l'essuyer, voulant signer de manière délibérée mon irrésistible présence charnelle dans cette histoire.

Au moment de revoir ce dossier, le matin de l'audience, j'avais ressorti l'album de sa sangle : personne n'avait dû le consulter dans l'intervalle, ni la juge d'instruction, ni une greffière, ni un avocat. Les deux pages centrales étaient collées : je tirai doucement pour les écarter et les surfaces plastifiées émirent quelques craquements secs, libérateurs du temps et des secrets. À l'intérieur, des compositions fractales traversaient les photos, à moitié intégrées au papier, à moitié séchées à la surface, comme des émulsions imparfaites. Près de la piscine, le visage de la victime s'était dissous, attaqué à l'acide. Sur la plage, son chapeau fusionnait curieusement avec le ciel moutonneux, dans des effets d'arc-en-ciel. Les poils sous ses bras brillaient toujours tendrement. J'étais saisi d'une sorte d'émotion commémorative, impatient de la voir pour de vrai, à l'audience, plus de cinq ans après ces clichés.

La victime est un être enchanté. Par fonction. Elle bénéficie depuis quelques années d'une survalorisation culturelle, sur un mode d'identification collective. À l'origine, le juge qui régnait sans partage sur son champ judiciaire tenait tous les acteurs du procès sous sa coupe et procédait librement à ses arbitrages. Sans doute insatisfaite de son traitement, la victime a progressivement déserté le lieu et s'est réfugiée chez le voisin, prompt à l'accueillir : le champ médiatique. Il suffit de voir comment les caméras du 20 heures se braquent désormais, à la sortie de tel procès médiatisé, sur la victime ou ses proches, dont les commentaires fondent ensuite l'opinion publique sur l'affaire. De même, la présence des victimes sur les plateaux en tout genre de la télévision se multiplie, jusqu'à des émissions qui se chargent de... la résolution des conflits (!). L'émancipation progressive de cet enfant du procès n'a pas laissé seulement le juge sans voix face aux critiques amplifiées : elle a créé une pression permanente sur l'institution judiciaire dans son ensemble. Voilà notamment pourquoi les parquets se sont crispés dans leur politique pénale, anxieux de désamorcer un mécontentement encodé dans les flèches subjectives de la victimologie. L'idée aberrante de créer un juge dédié aux victimes a même surgi. Tout cela s'est écrit à mesure, implacablement : la victime est le totem du sentiment d'insécurité.

Pour un peu, j'allais regretter mes effusions photographiques. Dans la salle d'audience, je regardais ce boudin sans oser le voir : les attraits de l'adolescence pouvaient-ils, si rapidement, s'achever dans de tels sables mouvants ? C'était odieux. Le temps qui passe devrait être pénalement sanctionné. De surcroît, elle prenait la pose de sa souffrance, quelque chose entre Bernadette Soubirous et le hamster d'Indonésie : une hystérie de gravité qui soulevait sa poitrine confuse et fixait tout son être dans un état de molle suspension. Logiquement, j'étais tenté de vomir. Mais je me disais que ce dossier ne pouvait pas, à lui seul, emmagasiner toutes mes sécrétions, ne serait-ce qu'au regard de mon devoir de réserve.

Dans sa posture, elle ressemblait étrangement à la victime du dossier précédent, une quinquagénaire qui s'était fait toucher les seins par son médecin. Tout le dossier montrait qu'il s'agissait d'un geste d'égarement, peut-être même un signe d'épuisement. Au lieu de régler ça directement, entre êtres humains, elle s'était empressée d'aller déposer plainte. Du pain bénit pour le parquet. À l'audience, elle semblait jouir en direct, proche d'un évanouissement émotionnel. Jamais, finalement, dans sa vie entière, personne ne l'avait traitée aussi bien : ni le médecin ni la justice. Qu'un homme plus jeune lui ait signifié une forme de désir puis s'en excuse publiquement consacrait un moment supérieur de son existence, une sorte d'apogée inespérée car, au vu de son physique, toute chance d'une éventuelle réitération était écartée. Elle faisait donc durer le plaisir : elle était en dépression depuis les faits, évidemment. Son mari aussi d'ailleurs. Le poisson rouge ?

J'observais cet être hybride, prenant le désir pour une agression, désemparé au surgissement de l'imprévu, dépourvu de défense personnelle. Un être bien majoritaire, faisant du corps une sorte de lieu sacré, sans raison précise au demeurant puisque, par ailleurs, ce corps était généralement délaissé, garni d'empâtements progressifs à force de colorants et de conservateurs, abandonné chaque jour devant la découverte des nouvelles notoriétés télévisuelles. Je me disais que la justice était devenue la poubelle de ces individus flasques, sans force, éternels retraités enchâssés dans le principe de précaution. Et qu'elle avait de beaux jours devant elle...

La justice aime les concepts vagues et inapplicables : *indépendance, procès équitable, culture du doute, individualisation des peines, droits de la défense*... Elle en préfère un, par-dessus les autres, qui la représente bien et la justifie : *contentieux de masse*. C'est une idée claire et fonctionnelle, induisant un comportement associé relativement simple, qui a fini d'ailleurs par servir de pivot à toute la réorganisation de l'institution, distillée dans les biberons dès l'École nationale de la magistrature.

N'importe qui venant un jour sur convocation devant un juge d'instruction ou un tribunal correctionnel, à quelque titre que ce soit, victime, témoin, auteur *présumé*, peut identifier la marque de fabrique du biotope judiciaire : l'indifférence méprisante du magistrat. Pas une indifférence pudique, comme une cuirasse d'apparence ou de survie érigée contre une sensibilité qui pourrait être trop malmenée à faire condamner en série de pauvres types humiliés par l'idée industrielle de la justice des hommes, non, rien de tout cela en vérité : une indifférence substantielle, bien différenciée de la vie personnelle, élevée au rang de la bonne pratique professionnelle, faite d'un repli dans l'idée confortable de sa condition, teintée souvent d'humeur hautaine, et marquée surtout par l'oubli immédiat, dès l'affaire suivante, du justiciable précédent.

Bien sûr, il est possible de se dire que cette biologie professionnelle tient au sous-dimensionnement moral des acteurs, ces êtres de dossiers, format A4 21 × 29,7 en 80 grammes, précieusement retirés de toute proximité pouvant contaminer leur perfection génétique, à l'imaginaire sensible codifié depuis 1804 (l'heure des belles humanités napoléoniennes), statufiés dans des palais opaques et inhospitaliers, convoqués à un rendement fonctionnel où tout leur échappe : le choix des affaires, le rythme des audiences, jusqu'à leur liberté de décision.

Mais cette vision pourrait ne pas être totalement juste : en réalité, la marque judiciaire tient à sa propre *mécanique.* Quiconque s'est confronté un jour à la rhétorique juridique aura pu faire ce constat étrange : la vision de l'homme qu'elle soutient consiste précisément en ce que l'homme en est... absent. Le droit est un théâtre d'ombres mettant en opposition des masques (*personae* de la comédie latine) purement utilitaires : locataire/bailleur, salarié/employeur, débiteur/créancier, victime/auteur... Seul compte le rapport juridique qui s'incarne dans ces personnages dépourvus d'âme, de chair, sans une once quelconque d'humanité qui brouillerait l'unité symbolique de leurs rôles. Cette vision dépersonnalisée se retrouve jusque dans la grammaire en usage qui procède soigneusement à l'évitement de toute individualisation ontologique : *sieur* X s'oppose à *dame* Y, quand ce n'est à ses *consorts* ou ses *ayants cause.* Cet enfermement symbolique s'est curieusement diffusé dans l'esprit public et dans les nouvelles lois pénales : la *victime* se dresse désormais contre le *récidiviste* ou le *criminel de la route,* même si chaque famille peut chaque jour avoir à sa table l'une ou l'autre de ces abstractions.

Ces commodités visuelles ne sont pas seulement les béquilles du traitement efficace du contentieux de masse et des nouveaux modes dépersonnalisés de condamnation : elles ont plus généralement poinçonné l'idée même de la dignité possible de l'homme. Par exemple, puisqu'il ne procède plus à des classements en opportunité, le parquet poursuit toutes les formes de violences, même réciproques, même défensives. Il est désormais interdit de se défendre. Ne se mettant plus en capacité d'apprécier, il se place désormais en censeur universel de la violence, comme une instance morale ou religieuse, aux antipodes des fonctionnements anthropiques. Son raisonnement est ainsi devenu le suivant : laissez-vous frapper, on s'occupe du reste. Finalement, son rêve social serait que la vie tout entière ressemble au quotidien d'une maison de retraite ou plutôt au raisonnement idéalisé de ses occupants : si on vous agresse, le mieux serait que vous ne soyez pas là...

— Pourquoi cet excès de vitesse, monsieur ?

— Ma femme venait d'avoir un accident grave, je me dépêchais...

— Mais monsieur, dans une telle situation, comment risquer de commettre un nouvel accident ?

Ou, à une audience de conduite en état alcoolique :

— J'avais bu quelques verres avec des amis. Je ne devais pas sortir ce soir-là, mais j'ai appris que ma fille venait d'être renversée. J'ai filé à l'hôpital, sans me poser de questions. J'habite en rase campagne.

— La loi est la même pour tous, monsieur.

En justiceland, toutes les justifications d'une infraction sont inopportunes. Le mieux, finalement, est de recommander à ses proches qu'ils évitent de compliquer la vie...

Au cœur de ces réflexions quotidiennes, je me disais parfois que je ne craignais pas grand-chose à balancer mon poing dans la gueule du procureur : l'idée de sa propre dignité devait le porter à ne pas répliquer mais à courir aussitôt déposer plainte. Bonne chance ensuite pour les preuves... En fait, il n'était pas exclu que l'idée de sa grandeur ne réside ailleurs, par exemple en zone déloyale, dans ce slip aux extériorisations surabondantes et insondables.

FOUS COMME DES LAPINS

Une fois par semaine environ, j'allais faire mes... commissions. Je n'aimais pas trop me charger, par principe. Au cours de l'été où le mouvement de désertion des bureaux était très suivi, j'avais fait réaliser un double des clés de la cave du tribunal, dont celle permettant d'accéder notamment aux stocks de scellés. L'endroit était toujours tempéré, probablement favorable au vieillissement du vin. C'était la caverne d'Ali-Baba : des décennies de prises de guerre s'entassaient là, dans un désordre à peine répertorié. La greffière censée s'en occuper était soit à mi-temps syndical (c'était la représentante de C-justice, l'organisation qui aimait les fonctionnaires de catégorie C), soit en arrêt maladie (elle affichait, en plus, une obésité offensive). Le fatras du lieu avait ainsi peu de chance de s'améliorer et c'était sans doute pour cette raison que je m'y étais senti immédiatement en harmonie. Le soir tombant, je me promenais entre les rayonnages, comme dans ces magasins de surplus où abondent les surprises dérisoires : des vêtements sales, des objets de cuisine, des lampadaires, des bouteilles, vides ou pleines, des ordinateurs, des livres et des cassettes (la plupart pornographiques), des barres, des nunchakus, des poings américains... Seuls, deux types d'objets saisis étaient déroutés ailleurs dès leur arrivée au tribunal : l'argent et les armes à feu. Le reste venait s'entasser et croupir dans ce fond de cale, sans avenir défini, attendant que les services du domaine de l'État daignent un jour y mettre le nez. Au détour d'une de mes promenades, mon œil était tombé sur un sachet en plastique torsadé, d'une technique inhabituelle pour la fermeture d'un scellé : il contenait de la résine de cannabis, curieusement disponible. Je n'étais donc pas le premier client de ce magasin.

L'esprit rempli de sympathie syndicale, je venais alors régulièrement m'approvisionner. Au début, je déambulais sur place, le pétard au bec, écoutant les bruits de la rue par les ouvertures hautes en fonte ouvragée. Puis j'avais découvert le cœur inespéré de la philosophie de mon âme, derrière une double porte : des toilettes désaffectées, poussiéreuses, que j'avais patiemment nettoyées toute une soirée. Je m'y installais longuement, pour tirer sur de gros cônes ou pour compulser des ouvrages pornographiques arrachés à leur triste sort. J'étais même tombé sur un James Joyce qui sommeillait dans un coin sombre, sous un pot à tabac en cuir brun, cimaisé d'une nacre orangée. C'était une vieille édition originale, que j'abordais à chaque fois au hasard, presque au débotté : je n'avais jamais rien compris à cette littérature crochue, mais je m'y abandonnais en surface, comme à une musique des yeux qui, inexplicablement, m'adressait par à-coups des représentations de montgolfières. Je palpais souvent le livre lui-même, je l'observais avec méticulosité : pourquoi avait-il fait l'objet d'une saisie ? Avait-il servi à commettre des infractions, à tuer quelqu'un, à nourrir des lettres anonymes ? Je le laissais longuement peser entre mes mains, il ne me livrait que sa matière personnelle, muette sur les secrets qui l'avaient mené à cette existence secondaire, proche de la mort cérébrale.

C'était là, aussi, que j'avais découvert soudainement le sens caché de ma défécation, comme à travers une psychothérapie comportementale : je m'étais aperçu que j'y ressentais à chaque fois comme un appauvrissement personnel. Certains individus défèquent avec joie ou soulagement ou angoisse, voire sans y penser de façon directe, sinon sur un mode éventuel de dépollution. Moi, de mon stade anal, j'avais hérité un sentiment d'anémie corrélée, de chute certes, mais presque aussi d'épuisement moral. Je comprenais mieux pourquoi les portes des toilettes devaient être fermées à clé : tout cela ne devait pas être très beau à voir pour un tiers.

Rapidement cependant, je cessai de lambiner sur place. Sitôt le ventre vidé, je remplissais les poches de mon humeur d'une barrette brune et je filais à l'anglaise (ou à la néerlandaise ?), une revue qualifiée sous le bras. Je commençais donc à fumer dès le matin, chez moi, en écoutant à la radio les apnées admirables de la commission parlementaire sur Outreau. Je me sentais progressivement épuisé, malgré des doses doubles de café. Je m'amusais régulièrement à guetter l'arrivée d'Hervé Rident au bureau. J'avais constaté chez lui un tic étrange : à chaque fois qu'il me voyait, il prenait un air de surprise heureuse, stupéfaite, comme si on ne travaillait pas ensemble tous les jours et qu'on s'était rencontrés une fois aux Bahamas, l'année passée, en vacances. Évidemment, ça n'avait rien de personnel, il faisait ça avec tout le monde. Un jour, il avait dû faire le constat que cette attitude donnait de lui une image sympathique et il l'avait systématisée. Alors, certains matins, je me postais pour l'attendre et, dès que je voyais pointer son imperméable beige bien ceinturé, aux épaulettes boutonnées, je bondissais sur lui avec un air jovial, en lui tapant fort sur l'épaule et en lui disant : « Merde, ça alors ! Comment vas-tu ? Tu sais, ça me fait plaisir... ! » et d'autres trucs identiques très badins. Je voyais qu'il me prenait pour un fou et qu'il me haïssait. Mes embuscades du matin, où je surgissais des placards ou des toilettes comme un pantin, l'obligeaient à changer ses horaires, son chemin. Je m'adaptais, m'en remettant alors au hasard de nos rencontres. Il en avait évidemment parlé au procureur, qui me regardait avec une hostilité inquiète. Valérie nous avait surpris, une ou deux fois, elle avait haussé les écailles, sans plus. Finalement, au travail, je finissais par m'amuser, l'air de rien.

J'attendais qu'on en parle. Les réunions-parquet se succédaient, uniformes dans les rappels systématiques de la politique pénale à respecter scrupuleusement. Ailleurs, dans le vrai monde, le spectacle n'était pas plus réjouissant : la commission parlementaire d'Outreau s'enlisait gravement. Comment espérer que cette tartufferie produise autre chose que son propre effet d'hystérie collective ? Dans de multiples rapports sérieux (eux), la réforme de la justice sommeillait déjà dans les caves de la chancellerie, d'où ils n'étaient pas près de sortir... Dans une tribune de *Libération*, Emmanuel Poncet venait de dresser l'état des lieux, avec la caution du grand Jean de Maillard. La justice était saisie de cet affront, évidemment. Autour de moi, on se réjouissait de cette contre-attaque salutaire et *in utero*, dont l'issue était jouée par structure. Mais la pensée locale s'arrêtait là, à ces surfaces lointaines : l'enjeu d'Outreau résidait uniquement en milieu télévisuel. J'attendais donc qu'on en parle. En vain.

Outreau n'a pas été une coupable exception et ne le sera jamais. Tout au contraire, il est l'illustration tragique des idéologies judiciaires en vigueur. La satisfaction de la victime étant devenue l'horizon de toute analyse (surtout si c'est un enfant), que peut peser la présomption d'innocence d'un suspect dont le traitement est méthodiquement dépersonnalisé ? Toute la mécanique judiciaire œuvre, sans appel, à ce désastre.

L'ouverture d'une information repose sur un chemin de crête à l'anatomie proprement catastrophique : d'un côté le parquet, enfourchant l'ordre public d'une manière désormais lobotomisée, de l'autre le jeune juge des libertés et de la détention (JLD), à qui il incombe *seul* d'apprécier la *nécessité* d'une détention provisoire. S'il suit le parquet, il se met à l'abri. S'il le brave, il encourt ses foudres. Une résistance trop systématique aux incantations répressives pourrait l'exposer professionnellement, voire personnellement. Il pourrait rapidement figurer comme le mouton noir de l'efficacité judiciaire et les récriminations multiples ne manqueraient pas de miner son projet de carrière. Au centre des deux, le juge d'instruction, sans pouvoir de décision mais doté d'une grande capacité d'influence : il est le seul, à ce moment, à être entré vraiment dans le dossier. Généralement, c'est lui qui saisit le JLD d'une demande d'incarcération : il est donc du côté du parquet. L'hypothèse d'une hésitation de sa part est prévue par la loi : le parquet peut l'enjamber et saisir directement le JLD.

Face à ce triptyque divin : le suspect présumé innocent, faisant son apparition dans sa forme d'existence terrestre soudainement incarnée. Jusque-là, toute la belle construction de papier menant à ce moment supérieur du débat est marquée de manière concentrée par une disparition chronique et méthodique : celle de l'humanité singulière de l'intéressé. Gare à lui si, pour une raison quelconque, il rate son effet d'apparition, le casting n'offre pas de droit à l'erreur ni de seconde chance : une parole malheureuse, un déficit apparent de motivation et le tour est plié.

Mais la machinerie procédurale de ces quelques minutes décisives est plus surréaliste encore : le magistrat du parquet prend la parole *en premier.* En aveugle. Il ignore tout de l'intéressé. Il a pris des réquisitions écrites de mandat de dépôt sur la seule foi du dossier, où les éléments de personnalité sont escamotés. Mais il est confiant dans son pouvoir d'influence, il requiert dans la stricte logique pénale. La loi a prévu une enquête sociale rapide : il ne l'a souvent pas lue. C'est d'ailleurs inutile dans la plupart des cas, le *travailleur social* qui l'a rédigée a rencontré le mis en cause quelques heures plus tôt, sur un coin de table : les informations recueillies sont superficielles, sans valeur ajoutée...

Et là, soudainement, d'une manière presque subsidiaire au débat, désorganisé comme quiconque sortant de garde à vue, flanqué d'un avocat rencontré dans le quart d'heure précédent, le présumé innocent doit promouvoir sa liberté dans la force d'évocation de sa parole : il a deux minutes pour faire émerger une humanité jusqu'alors soigneusement enterrée, dans une proportion satisfaisante et adaptée, c'est-à-dire raisonnable mais non excessive, pour n'indisposer personne : son histoire, les nuances de sa version des faits reprochés ou ses farouches dénégations, ses projets en cours, les fils entremêlés de sa vie, ses regrets éventuels... Surtout, il doit présenter les garanties nécessaires à une mise en liberté : un hébergement fiable hors les lieux de l'infraction, un métier, une famille...

Parfois, une énergie insoupçonnée lui permet de présenter de tels gages. Le parquet pourrait-il alors se raviser au regard de ces nouveaux éléments qu'il ignorait ? Jamais. Il tient à sa cécité d'origine. Se raviser reviendrait à se désavouer publiquement, et puis ces faibles informations pratiques sont indifférentes à la gravité pénale des infractions commises. Persiste et signe. De toute façon, la hiérarchie ne comprendrait pas, ni la victime, ni l'ordre public... Bien mieux, généralement le JLD ne redonne pas la parole au parquet, sans doute par précognition. Il choisit de rester seul pour décider, au cœur de cette logique absurde et venimeuse...

Le mécanisme se reproduit à chaque demande de mise en liberté d'un détenu provisoire. Outreau en a été la figure tragique, soudainement offerte aux regards. L'instruction et le parquet n'ont été que les lapins pris dans les phares d'une médiatisation imprudente. Comme le JLD et tous les intervenants en cour d'appel. Tous unis d'intérêt : l'opinion publique aurait-elle compris que des remises en liberté sous contrôle judiciaire soient décidées... ?

J'attendais donc qu'on en parle. Entre nous. Sans vantardise déraisonnable, j'avais mes petits Outreau, réguliers.

Je me voyais requérir en premier, toujours, dans le respect d'une orthodoxie pleine de bienséance et d'histoire. Je me disais naïvement qu'en parler serait d'abord une manière d'en débattre, qu'on changerait peut-être progressivement nos petites habitudes, plus tard bien sûr, le temps de s'y faire.

Et puis j'ai compris. Le système était grippé. Par un grain de sable sans particulière violence impérative mais qui donnait plutôt l'impression de s'être réveillé d'un sommeil sournois, au cœur même des esprits empaillés de mes gentils collègues : il s'agissait tout simplement d'un sentiment de peur. Avant Outreau, nous n'avions pas vraiment peur, sinon d'être insuffisamment répressifs au goût du marché. Mais ça roulait plutôt, la vague était favorable. Depuis, la peur avait changé de figure, il fallait revoir toutes nos copies : la présomption d'innocence s'était mise à exister en dehors des mots, elle pouvait même nous concerner un peu, sur les bords. Nous manquions de documentation sur le sujet. Maintenant, nous avions peur des auteurs d'infractions, pourvus d'une existence concrète et qui se rebiffaient. Et nous recommencions à avoir peur également des victimes, peu décidées à renoncer et tellement relayées par *l'opinion publique.* Comment allions-nous faire dans ce marasme ? De fait, il n'y avait pas d'autre solution que d'attendre les instructions de la hiérarchie…

Le zèle n'est pas toujours ce qu'on imagine. Nos apprentissages scolaires nous en ont délivré une image un peu graphique d'agitation, une sorte de fièvre surabondante de l'ordinaire. En vérité, avec un peu d'attention, on peut s'apercevoir qu'il n'en est rien : le zèle est partout, standardisé, il semble même constitutif de l'activité humaine en général. Sans lui, peu de choses fonctionneraient efficacement, il ressemble à l'huile instillée dans les rouages formels.

C'est ainsi, par touches successives, que la vérité de mon univers professionnel se livrait, sans différence observable avec l'image que la justice donnait d'elle dans l'univers médiatique où, dans les affaires sensibles, on voyait à la télévision les procureurs concernés communiquer comme des préfets ou des candidats en campagne, rassurant la société civile.

Derrière toutes ces promesses officielles, la pression montait partout à l'intérieur de la machine, une pression qui ressemblait de plus en plus à une obligation de résultat ; la demande publique affluait, un peu sauvage mais qu'il fallait satisfaire : l'intolérance sociale, la victimologie galopante, la pénalisation des comportements, l'influence de tous les groupes de pression — les enfants maltraités, les femmes battues, les trafics d'animaux, d'organes, de stupéfiants, les golden parachutes, les dangers de la route, les risques industriels, sanitaires, alimentaires, les délocalisations, la protection de l'environnement...

Aussi, logiquement, le zèle s'affolait sans qu'il soit désigné précisément, presque subconsciemment, dans des formes d'arrangements permanents dont j'apprenais peu à peu les codes. Chaque jour, je mesurais notamment l'œuvre du copinage interne entre le siège et le parquet : copinage statutaire et géographique — nos bureaux se touchaient — qui nous permettait de nous concerter en permanence, avant et après les audiences, de repérer les dangers et les chausse-trapes dans les dossiers, de nous ajuster entre nous, nous entendre. Nous étions des frères incestueux, notre intérêt était commun : non seulement parce que la carrière nous poussait à passer régulièrement d'un côté et de l'autre, mais aussi parce que les impératifs d'efficacité concernaient tout le corps, sans distinction. Qu'un dossier capote pour une raison ou une autre et la honte était collective. Alors je comprenais qu'il fallait sauver toutes les procédures, coûte que coûte, un peu comme dans la production industrielle...

Évidemment, cette collusion se dissimulait. Les avocats, exclus et transformés en basse-cour inutile, ressentaient un sentiment confus d'impuissance : en fait, ils butaient quotidiennement sur une entente illicite qui avait confisqué la justice pénale. Mais c'était à ce prix qu'on pouvait obtenir des audiences qui se succédaient avec cent pour cent de condamnations, malgré les approximations des enquêtes, les jugements moraux à l'emporte-pièce, les contestations des prévenus, voire les preuves contraires...

Les ouvertures d'information étaient en disgrâce : on s'était avisé que leur intérêt était médiocre. Saisi par le parquet du dossier d'enquête, la première chose que faisait le juge d'instruction, c'était de refiler l'affaire aux enquêteurs (police ou gendarmerie) pour continuation de l'enquête. Il ordonnait aussi souvent des expertises : médicales, psychiatriques, gynécologiques, techniques parfois (sanguines, balistiques...). Bref, il déléguait à des gens compétents. Ensuite, il compilait les retours et, flanqué d'une greffière, procédait lui-même à quelques auditions, lourdes, pénibles, sacramentelles, qui semblaient absorber toute son énergie alors que les enquêteurs faisaient ça toute la journée. C'était une œuvre de pilotage qui montrait ses faiblesses. Aussi, le courant dominant était de contourner l'instruction, sauf naturellement pour les crimes où elle demeurait obligatoire. Mais pour les délits, on considérait que les enquêteurs pouvaient finalement très bien faire ce type de boulot. Les crimes eux-mêmes étaient d'ailleurs en douce déflation : on s'efforçait de les déqualifier en délits. Ainsi, les petits vols avec arme devenaient des vols avec violence : l'arme s'évaporait. Les viols devenaient de simples agressions sexuelles : la pénétration coupable s'évanouissait en cours de route. On expliquait à tout le monde, et notamment aux victimes, que l'intérêt était partagé : on gagnait en rapidité et on évitait l'usine à gaz de la cour d'assises. Bref, on était dans un rendement de plus en plus satisfaisant...

Aux alentours de mon arrivée, une petite institutrice en formation eut un accident de voiture. Elle venait de fêter un anniversaire avec deux amies en partageant une bouteille de petit chablis frais. Alors qu'elle rentrait chez elle le soir, une voiture arrivant en sens contraire était venue la percuter avant d'aller s'encastrer dans un mur. Dans l'histoire, son sort bénéficiait plutôt d'une apparence favorable : elle était restée sur sa voie de circulation et c'était l'autre qui s'était déporté. Cependant, elle ignorait que la situation contenait quelques complications : 1) l'autre automobiliste était un jeune père de famille, qui n'avait pas d'alcool dans le sang... 2) il était dans le coma suite à l'accident... 3) c'était un gendarme nouvellement affecté.

L'accident s'était produit en rase campagne, secteur de gendarmerie. Dès que j'en fus informé, je saisis un service sans lien avec la victime mais fatalement de... gendarmerie. L'enquêteur chargé de la garde à vue de l'institutrice m'embrouilla immédiatement : il hésitait sur le positionnement réel des véhicules au moment du choc, malgré les constatations matérielles sur les lieux. Au dépistage, l'institutrice affichait 0,41 milligramme par litre d'air expiré, soit juste la limite du délit de conduite en état alcoolique. Elle avait dû boire trois verres en tout et pour tout.

À la fin de la garde à vue, deux difficultés persistaient :

d'abord, je ne savais toujours pas si elle était responsable de l'accident. Ensuite, le coma de la victime était sans pronostic précis. L'affaire n'était pas en état. J'aurais pu renvoyer l'institutrice chez elle et attendre la suite des événements, mais le procureur m'appela alors. Il venait d'apprendre que la victime était un gendarme : il exigea une ouverture d'information pour faire la lumière sur l'accident. Bon, pourquoi pas ? Je saisis donc la juge d'instruction, mais je voyais mal quel type de contrôle judiciaire je pouvais requérir contre cette jeune femme, à part bêtement la faire pointer une fois par semaine au commissariat.

Je décidai alors, de manière assez exceptionnelle pour le parquet, d'assister à l'interrogatoire devant la juge d'instruction. Là, je découvris l'institutrice, face au bureau, toute frêle malgré un petit embonpoint, totalement inadéquate au lieu. Elle sortait de garde à vue, une trentaine d'heures poisseuses surgies brusquement dans sa vie tranquille comme un stage commando. Elle écoutait docilement la juge d'instruction qui lui parlait sur le ton des duels néospaciens de l'univers yo-gi-ho. Elle répéta alors la même histoire, celle de l'anniversaire, la bouteille à trois, puis son retour en soirée, ce véhicule en sens inverse qui était venu la percuter sur sa voie. La juge lui répondit sèchement que ce n'était pas si simple, qu'il y avait un gendarme dans le coma, sans alcool lui...

C'est là que tout s'accéléra. Une greffière entra dans le bureau pour me tendre un fax écrit à la main par mon procureur depuis sa réunion : « Victime décédée. Mandat de dépôt *impératif.* » Je relus plusieurs fois le message. Mon chef avait souligné uniquement l'adjectif, comme si l'ordre lui-même était plus important que son objet. J'étais donc convoqué non à une adaptation mais à une obéissance... Je pliai ce torchon dans ma poche, sans en faire état, expliquant plus tard qu'il m'était parvenu après la fin de l'audition. La juge d'instruction plaça donc l'institutrice sous contrôle judiciaire, conformément à mes premières réquisitions.

Ensuite, je perdis contact avec ce dossier, le procureur en personne ayant décidé d'en suivre l'information. Il réapparut par surprise pour l'une de mes audiences. Je le décortiquai : toute l'information démontrait que l'institutrice était restée sur sa voie de circulation. Les traces de freinage de sa vieille Renault 5 l'attestaient. Il y avait d'autres indices mais la certitude formelle provenait de ces traces. Sauvée par défaut d'ABS... Pourtant, dans son règlement, le procureur avait conclu quand même à l'homicide involontaire avec alcool, comme si elle était responsable du décès du gendarme.

Le règlement était d'un genre étrange : oui, l'institutrice n'y était peut-être pour rien, mais quand même, il y avait de l'alcool et mort d'homme. Vis-à-vis de la famille, ce serait mieux qu'on en débatte...

La juge d'instruction, chargée de la décision après cette position hardie du parquet, ne trouva rien à redire : elle renvoya l'institutrice devant le tribunal par un magnifique copier/coller du règlement. Pour tout observateur étranger, une si belle entente professionnelle devrait incontestablement faire plaisir à voir.

Le midi précédant l'audience, alors que je prenais un café à une terrasse chauffée, prélassé au fond d'une pensée statique, un journaliste local m'aborda. Je le connaissais, je le voyais parfois aux audiences. Il s'assit face à moi et, curieusement, commanda directement une crème brûlée. Quand le serveur vint la déposer devant lui, je m'extasiai : elle était large comme une pizza. Surtout, la carapace sombre s'ouvrait en crevasses vulvaires, multiples et inopportunes, rappelant certaines croûtes de fromages d'une signature eurosceptique. Il m'entreprit franchement, avec un air professionnel de candide malin. Il avait remarqué un manège comportemental qui l'intriguait : quand, aux audiences, le parquet prenait ses réquisitions, le tribunal écoutait avec une sorte de douce bienveillance. En revanche, quand la défense plaidait, les juges manifestaient souvent une sorte d'impatience ou levaient parfois les yeux au ciel, par ennui ou par hostilité. Il s'interrogeait donc sur ces signes extérieurs tirés du « langage du corps », d'autant qu'il avait remarqué que les décisions rendues s'alignaient généralement sur les réquisitions...

J'observai d'un coup plus attentivement cet interlocuteur qui venait étrangement atteindre le cœur même de mes cogitations. D'où lui venait cette lucidité sacrilège, hors des tabous habituels sur la justice et qui fuyait la conscience même des principaux intéressés ? Je jouai alors spontanément le jeu : j'expliquai la consanguinité structurelle des magistrats du siège et du parquet, le croisement des carrières, le partage des bureaux dans les palais de justice, les échanges permanents sur les dossiers à l'insu de la défense, la position même à l'audience où ils apparaissent au même niveau d'estrade, loin de la fosse déchue des prévenus, bref toute cette concorde légale et statutaire qui aboutit à ce que le procès soit finalement un jeu à deux contre un.

Le journaliste m'écoutait avec un air rieur et satisfait. Je compris que mon propos confirmait ce qu'il pressentait, ou savait déjà, et qui expliquait sans doute sa perspicacité d'origine. Avait-il un ami magistrat qui l'avait précédemment instruit de tout cela ? Il s'inquiéta des solutions possibles. Alors j'improvisai. Il fallait que la relation accusation-défense-jugement soit définitivement distinguée et je ne voyais qu'une solution finalement : que le parquet soit supprimé, ni plus ni moins. Ses magistrats étant devenus des ouvriers obéissants de la poursuite, ils n'ajoutaient aucune valeur aux dossiers d'enquêtes généralement complets et ne servaient finalement que de courroie de transmission vers la sanction mécanique. Des commissaires de police bien formés feraient très bien l'affaire à leur place. C'était d'ailleurs le cas pour les contraventions jugées devant le tribunal de police où un commissaire vient à l'audience soutenir l'accusation, déguisé en « officier du ministère public ». Je ne voyais pas ce qui empêchait la généralisation de cette pratique devant les tribunaux correctionnels ou les cours d'assises. Je connaissais d'ailleurs des gradés de la police ou de la gendarmerie bien plus brillants que la plupart de mes bons collègues... C'était du côté du parquet qu'il fallait creuser, pas du côté des avocats, vides de toute influence et de tout pouvoir d'investigation, qui n'étaient que les figures creuses du rapport de forces. Il était cocasse de voir que la pensée officielle, celle de *l'égalité des armes*, envisageait toujours de les créditer hypocritement d'un rôle quelconque...

Le journaliste s'amusait. C'était une pensée radicale, dépourvue d'actualité, une sorte de jeu en somme. Il adhérait de bon cœur et me promit le secret de notre entretien. Il me quitta alors rapidement, sûrement au motif qu'une sorte de grande Luxembourgeoise aux seins anormalement pointus sous son pull bleu venait de lui adresser, depuis la rue, un signe ouvragé de la main.

Je restai quelques secondes seul, comme encombré soudain par le poids de mes aveux spontanés, cet essorage des vérités subjectives. Mais c'est toujours ainsi avec ces choses-là : il n'existe aucun moyen de les livrer moins nues ou de les embellir un peu dans une sorte de recyclage allégorique. Le phénomène se vérifie à chaque fois : on ne peut aménager que les inventions pures.

Je revis le journaliste après l'audience, autour d'une petite bière réparatrice. Lors du procès, j'avais donné mon avis, sans réquisitions de peine, c'était le minimum que je pouvais faire. L'avocat de l'institutrice, lui, avait détruit l'accusation. Le résultat avait été immédiat : relaxe sur l'homicide mais un mois d'emprisonnement avec sursis et six mois de suspension de permis pour la conduite en état alcoolique.

— Alors, pas si mal, me fit le journaliste.

— Vous trouvez ? La plupart des parquets, pour des

taux aussi faibles, convoquent uniquement l'auteur à un stage à la con de sensibilisation aux risques de la route. D'autres considèrent même que, les éthylomètres étant peu fiables, le délit n'est pas constitué. Alors là, un mois avec sursis et six mois de suspension, ça veut dire que le tribunal a voulu faire plaisir, sur les bords, à la famille de la victime.

— Remarquez, vouloir faire plaisir à la famille, quand tout le monde est en larmes, c'est humain...

— Ah oui... ? Mais elle n'y était pour rien dans la mort de ce type ! À qui donc vous identifiez-vous dans cette histoire ?

— Bah, aux deux parties finalement. Comme tout le monde, je pense.

— Pardonnez-moi, mais je ne suis pas d'accord : la justice n'a pas à s'identifier à la victime. En aucun cas. C'est le prévenu qu'elle juge et personne d'autre. C'est lui qui compte, dans sa faute et dans sa présomption d'innocence ; on ne condamne pas pour faire plaisir à la victime. Or, tout s'inverse aujourd'hui. Imaginez un instant si j'avais obéi aux injonctions d'incarcération au début de l'information, juste pour céder aux attentes ardentes... Le syndrome d'Outreau n'est à l'évidence pas résolu, cher monsieur, il continue de rôder, même chez les beaux esprits...

Avoir son anniversaire vers la mi-décembre est à la fois un avantage et un inconvénient. C'est un avantage car, à cette période, il règne dans l'air une sorte de fébrilité prospective des fêtes : l'anniversaire devient dérisoire mais bénéficie d'une bonne humeur générale. Cela représente donc plutôt deux avantages. L'inconvénient est qu'il fait traditionnellement froid et que personne ne songe en conséquence à vous offrir des tee-shirts. Or, j'aimais bien les tee-shirts. Ceux que je portais avaient donc été achetés par mes soins.

Je les avais tous piégés lors d'une réunion-parquet. En les conviant à une soirée pour mon anniversaire, seulement une semaine à l'avance, je leur avais laissé peu de chance de mentir pour une excuse, d'autant que je l'organisais au tribunal, en fin de journée de travail. Je conviai l'équipe, bien sûr, mais également le procureur de manière expresse. Je le vis blêmir d'effroi, mais je savais que l'esprit d'équipe le liait. Je lui présentai ça d'ailleurs, dans un clin d'œil, comme un moment opportun, avant les fêtes, de remotivation collective, une sorte de stage d'entreprise, avec sauts à l'élastique. Il rit jaune de mon image ; il avait raison.

Stanislas Wanz se tourna vers moi et dit sans réfléchir :

— Il va donc falloir qu'on te trouve un cadeau...

J'étais déçu : ce garçon absent, que j'aimais bien par ailleurs, semblait partager avec les autres le même sentiment d'aberration à l'idée de m'offrir quelque chose. Je les rassurai aussitôt :

— Oui, mais juste un DVD s'il vous plaît. Et, si je peux me permettre, je souhaiterais que ce soit *Dumbo*, de Walt Disney. Vous avez vu Dumbo, vous vous en souvenez ?

Valérie me fixait sans broncher, Stanislas Wanz sans comprendre. Le procureur et son clone Rident échangeaient à la dérobée des sourires moqueurs. Je continuai :

— Oui, ça m'est revenu il n'y a pas longtemps. Vous savez, la scène où le directeur du cirque, avec son habit ridicule, a mis la mère de Dumbo en quarantaine, en prison en quelque sorte, parce qu'elle perturbait le groupe en voulant protéger son fils un peu... anormal...

— Oui, et alors ? demanda Rident, à moitié pour partager encore de la complicité avec son chef.

— Eh bien, quand j'étais petit, je détestais ce directeur du cirque, et je suis sûr que vous aussi. Je le trouvais méchant avec cette mère, ainsi qu'avec Dumbo d'ailleurs. Elle ne faisait que chercher à protéger son fils, son comportement avait des excuses. Le directeur n'avait rien compris et n'avait même pas cherché à comprendre... C'était une scène violente pour moi, incompréhensible, sans charité, d'une grande injustice...

— Et... ? renchérit Rident qui ne cherchait même plus à dissimuler son ironie et se trouvait au bord de l'éclat de rire.

— Eh bien, c'est assez facile finalement : je voudrais revoir mes rêves d'enfant et tenter de comprendre pourquoi, aujourd'hui, je suis devenu un directeur de cirque... comme vous tous.

Rident éclata de rire, tout seul. Le procureur, Valérie et Wanz me fixaient sans amitié. Un long moment immobile s'installa, comme pour laisser à Rident le temps de récupérer de sa bêtise sans frein. En se levant, le procureur me lança :

— Vous avez décidément une curieuse conception de notre métier, monsieur Lanos. Je me demande si vous n'êtes pas malheureux ici.

Tiens, une parole sensible. C'était souvent le cas chez les êtres serviles : ils envoyaient de temps à autre une sorte de manifestation d'empathie, comme ça, juste pour contrarier l'image déclassée qu'ils avaient d'eux-mêmes. Mais ce n'était rien, je le savais, rien n'aurait changé dans la minute suivante. C'était juste le signe du gâchis étonnant d'un homme et la confirmation visuelle que, décidément, l'intelligence ne faisait vraiment pas le poids face à la névrose.

Je fis vraiment la connaissance du juge d'instance un jour où je le croisai sur les marches du tribunal, qui allait déjeuner au restaurant administratif du coin. L'idée même de l'existence possible de cette bourse alimentaire destinée à tous les genres de fonctionnaires locaux répertoriables venant là, en Clarks et polos, s'unir davantage encore autour des haricots verts du service public me donna le frisson. Je déclinai poliment l'invitation mais lui proposai de déjeuner à une terrasse quelconque. Il accepta. Je m'aperçus que, depuis mon arrivée, je l'avais rarement rencontré : le tribunal d'instance occupait une aile du palais de justice mais semblait doté d'une existence autonome.

Ce garçon, à l'âge incertain, maintenu dans le passé par un visage rond et lisse mais aussi peut-être par des lunettes rectangulaires étonnamment démodées, offrait un regard d'une attention extrême, comme s'il voulait que rien ne lui échappât. Il semblait pris d'un désir d'échange dense et avide, comme un désir d'aimer. À mesure de notre conversation, je sentais cependant qu'il se détendait jusqu'à pouvoir se renverser sur sa chaise et laisser la place alors à une intelligence éminemment subtile, remplie d'une imagerie conceptuelle amusante et appropriée. Je le sentais bien seul. Logiquement.

Il occupait la place de juge d'instance depuis deux ans, après avoir sévi comme juge d'instruction dans le Nord. Il m'expliqua que dès son arrivée, il avait été informé que son poste était l'un des plus chargés du ressort de la cour d'appel. Toutes les statistiques l'annonçaient : il allait crouler sous le boulot. Ses collègues le regardaient avec une sorte de compassion. Au bout de six mois, il fit un premier bilan : il n'avait pratiquement rien à faire. Les audiences civiles hebdomadaires généraient environ une quinzaine de jugements à rendre : il les torchait en une journée. C'était du contentieux répétitif d'expulsions locatives et de crédits impayés pour lequel des manipulations en copier/coller suffisaient. Les tutelles et les autres activités annexes lui prenaient une autre journée. Globalement, il était à mi-temps. Bien mieux, quand il bénéficiait d'un auditeur ou d'une auditrice de justice venant quelques semaines en formation-instance, ces tâches s'évanouissaient. Souvent, il arrivait le matin, le bureau vide, l'armoire vide, l'âme vide. Il attendait. Alors, toute la journée, il faisait des parties de go et d'échecs en réseau sur Internet, les deux jeux les plus complexes conçus par l'esprit humain. Il y retrouvait parfois certains collègues, sous leurs pseudonymes reconnaissables : « just92 », « jex75 » ou même « pip69 ».

Je compris soudainement le lien curieux que ce type solitaire avait noué si vite avec moi : il était disponible, vacant. Spontanément, je l'aimais bien. Mais je n'étais pas dupe de cette empathie qui provenait vraisemblablement du fait qu'il s'était livré à moi comme à un ami, avec une urgence confiante, alors que son intelligence adaptée devait veiller habituellement à entretenir, dans le milieu, l'illusion de sa suractivité professionnelle (comme ses prédécesseurs à ce poste avaient su, déjà, si bien le faire). Je me disais que je devais absolument m'interroger sur cette affinité soudaine autour de l'aveu d'imposture, comme si j'étais le genre de personne à comprendre les arrière-mondes. Voire à les partager... Avais-je donc déjà moi-même, dans le bocal judiciaire, une réputation d'imposteur ?

Il s'appelait Léonard Lanus. À une voyelle près, il pouvait être de ma famille. Bêtement, les deux L de ses initiales lui offraient quelque chose d'aérien. Il commença à m'appeler régulièrement, à n'importe quelle heure de la journée, parfois à la pire. Mais j'appréciais toujours son humour déphasé, parfois clinique sur la vie. Nous déjeunions ensemble, de temps à autre, comme deux orphelins. C'est par son intermédiaire qu'une idée imprécise se fit jour sur notre condition professionnelle : cette idée, ça pouvait être celle de l'*appropriation*. Le mot semble caverneux, mais les relations humaines s'en nourrissent abondamment.

De quoi sont faits les sentiments : l'amour, l'amitié, la confiance... ? Quels espoirs plaçons-nous dans les autres, les projets d'avenir ou le réel... ? Qu'attendons-nous d'un médecin lors d'une consultation, ou d'un architecte pour notre maison, ou de notre famille lors d'un examen, ou d'un conjoint dans le mariage... ? Eh bien, me disais-je, qu'ils *s'approprient* notre cas. Qu'ils en fassent un lieu central, ouvert, partagé. L'appropriation est l'objet informulé du désir. Si le médecin restait à distance de notre douleur, il trahirait sa mission d'utilité, jusqu'à son sens. Parfois, une simple attention pourrait suffire, mais la véritable attente, celle qui habite le centre de notre besoin d'amour, de notre insatiable besoin de consolation, comme l'écrivait Stig Dagerman, va au-delà de l'attention et même de l'empathie : elle exige la force d'une *contagion.* L'attente du cœur humain est toujours une attente de ce partage. Cette idée, somme toute, c'est l'espoir de l'intériorisation, par l'autre, de notre singularité.

Cette attente vorace et universelle s'épanche fortement dans la peur et l'angoisse. Que penser d'un cancérologue indifférent ? Dans un hôpital, la plupart des médecins s'appliquent à entretenir avec les patients un contact de proximité et de confiance, et ceux qui manquent à cet effort sont désignés. Les professionnels du genre en connaissent tous l'importance.

Tous, sauf la justice et ses affidés. Le traitement du justiciable est définitivement dépourvu de la moindre appropriation. Tout le registre sensible, individuel en est banni : le langage en vigueur est celui des codes et des manuels. La personnalisation est une atteinte à l'égalité devant la loi. Les poursuites, les peines sont standardisées. Les magistrats ne se sont ainsi approprié qu'une vision utile à leur mission sociale, transversale à tous les services, faite de grilles, de formulaires, de qualifications juridiques et de statistiques fétichisées. En réalité, c'est le contraire même d'une appropriation, qui suppose du partage : il ne s'agit que d'un héritage collectif, la récitation d'une formation universitaire et d'un discours technique dissociés de toute dimension singulière. Ce ne sont que des perroquets en cage, uniformes, jouissant même souvent de la peur qu'ils génèrent...

Bien mieux, leur intelligence ordinaire, loin des élites nationales, leur interdit l'accès à la plénitude de la pensée complexe et transversale exigée par le monde alentour. Alors, par exemple, que l'entreprise commerciale n'est plus réductible à son seul objet économique, qu'elle est désormais soumise à des impératifs non seulement de perfectionnement technologique, mais également de considération humaine, sociale, voire écologique, on pourrait croire que l'objet de juger d'autres humains s'entourerait des mêmes élargissements : vers la psychologie, les sciences sociales, l'héritage culturel au sens large. Il n'en est rien. La loi, non questionnée, reste l'unique source d'inspiration. Aux audiences, on rigole sous cape des rapports psychiatriques, au jargon lointain et inassimilé, et dont on n'utilise finalement que les conclusions résumant si l'auteur est passible ou non d'une sanction pénale. S'il l'est, tout le reste s'oublie, on s'empresse de le juger sous le seul angle du dossier judiciaire. S'il ne l'est pas, tout le monde se fige dans l'expectative, en état de frustration. Heureusement, de bonnes idées surgissent actuellement pour dire qu'il faut le juger quand même. *Surveiller et punir*, publié en 1975 par Foucault, n'a aucune existence concrète, pas plus en tout cas qu'un siècle de psychanalyse ; tout comme les rapports successifs sur l'état des prisons ou les travaux psychosociologiques sur la souffrance moderne. Que dire alors des arts et de la littérature ? L'ignorance domine, prostrée, servile, centenaire...

Léonard m'expliqua un jour que, lorsqu'il était juge d'instruction, son tribunal avait subi un contrôle de l'Inspection générale des services judiciaires, la police interne du grand corps. Parmi l'escouade des inspecteurs, il avait retrouvé un ancien ami magistrat, plus âgé que lui, avec qui il avait travaillé antérieurement, qui avait été *promu* depuis à l'Inspection générale, chargé, précisément, de contrôler son service de l'instruction. L'homme avait changé. Son registre s'était étoffé : sa mallette était pleine de questions ciblées et prépensées, de grilles serrées, d'indicateurs subtils tirés des statistiques officielles. Il posait un regard sérieux sur sa mission, cochait des cases, griffonnait des observations, sans amitié, dans la pose définitive d'un notateur. L'équipe entière avait un comportement évocateur d'une descente de la Stasi, traquant dans tous les recoins les indices de la faute professionnelle. Les cow-boys d'un spot publicitaire, entre le sergent Garcia et Igor d'Hossegor. « Là, tu vois, tu es à 4,23, alors que l'indice moyen dans le ressort de la cour est 4,81. En revanche ici, tu es à 7,22, alors que la moyenne est à 6,97. » « Cela s'équilibre, alors. » « Non Léonard, tu sais bien que le but est d'optimiser tous les postes. » « Oui, mais ces chiffres sont idiots. Par exemple, dans le dossier Z, le type est mort quinze jours après l'ouverture du dossier. Alors évidem-

ment, ça améliore mon taux de délai de traitement du dossier mais ce n'est pas représentatif d'un travail, c'est fictif. »
« Détrompe-toi, Léonard, pour nous, tout compte... »

Le pire, me précisait Léonard, c'était de voir l'effervescence du tribunal autour de l'inspection. Tous les collègues, sans exception, faisaient dans leur froc à l'idée de cette autopsie de leur travail. Eux, les terreurs de l'audience, les maîtres suprêmes de l'humiliation des prévenus, tremblaient de trouille devant les inspecteurs comme des enfants convoqués devant le directeur d'école. Ils ne se contentaient pas de trembler d'ailleurs, ils vibraient d'admiration : ils voyaient, là, devant eux, sur quelques feuilles posées sur la table, ce que devait être leur pratique idéalisée. Ils numérisaient mentalement les défauts à corriger, les efforts à produire pour correspondre enfin aux ultimatums de perfection normative. Le bon magistrat n'est pas celui qui s'adapte hors case pour s'approprier des formes d'humanité, non, le bon magistrat est celui qui s'approprie le goût des moyennes recommandées. La reconnaissance finale est au prix de cet effort collectif de normalité. Les inspecteurs étaient ensuite repartis, fiers dans leur voiture de fonction toute propre, remplis de chiffres concordants. Nous les avions regardés s'éloigner, unis de conscience sur leur belle promotion professionnelle ; on se disait qu'ils avaient atteint là le tremplin idéal pour les accessits hiérarchiques...

Le procureur riait tout seul, le front appuyé contre le chambranle de la porte. Il était un peu pâle, je ne l'avais jamais vu comme ça. À côté, Rident mimait des gestes de tennis, à vide, surtout des revers. Manifestement, il n'avait jamais pratiqué ce sport mais un sentiment de professionnalisme semblait habiter ses yeux qui suivaient les balles imaginaires. La table centrale avait été déplacée vers un coin et, au centre de la pièce, Wanz dansait face au vice-président sur du rap américain un peu sec. Alentour, des groupes de greffières dodelinaient du sacrum, au hasard, sans organisation particulière. Tout cela offrait l'image d'une sorte d'abandon intime et partagé : les vestes de costume étaient tombées et, avec elles, certaines représentations de soi. Pour dire : certains pans de chemises allaient même jusqu'à déborder des pantalons. Les brocs de punch étaient vides et la caisse de réserve de vin rouge était largement entamée. Un sentiment de succès alambiqué m'envahit dans cet instant...

Bon, pourtant je savais que je n'étais pas un as des astuces culinaires, surtout avec un unique moule à cake et un four à micro-ondes. Mais j'y avais mis tout mon cœur. Après quelques nouvelles... commissions à la cave du tribunal (me permettant à chaque fois de louer le goût syndical pour l'ordre) ainsi que des courses beaucoup plus ennuyeuses au supermarché, j'avais consacré deux soirées entières à la préparation de mon anniversaire. Encore une fois, j'avais constaté que les bonnes doses m'échappaient toujours un peu : je n'aimais pas respecter les recettes à la lettre. La cuisine et la règle impérative m'apparaissaient incompatibles. Je préférais les ingrédients, multiples, en vrac, concurrents. Au total, j'avais réussi à moi seul à faire six space-cakes : deux aux olives, deux au jambon-fromage, deux aux restes de mes placards (tomates séchées, champignons en boîte...). Dans chacun d'eux, j'avais versé les mêmes épices composées pour cacher le goût du shit et l'éventuelle péremption de certains produits. Si le pot aux roses était découvert, je pouvais toujours soutenir que le produit illégal venait sûrement du sac d'épices acquis sur un marché cosmopolite : tout le monde n'aurait demandé qu'à me croire ; devant l'embarras de la situation, les enquêteurs m'auraient même été reconnaissants d'une telle solution, peu vérifiable. Le résultat, cependant, était que tous mes cakes devaient avoir finalement le même goût. Mais à l'heure du gavage industriel des masses cotisantes, je savais que seule comptait la différenciation visuelle. Pour les boissons, j'avais prévu deux punchs distincts : l'un avec alcool, l'autre sans. Dans les deux, j'avais laissé infuser pendant deux jours des feuilles d'herbe et de la poudre de cannabis. Je n'avais aucune idée du résultat : c'était purement expérimental. De plus, je n'étais pas encombré par l'idée de gâchis, la matière première était gratuite et abondante. Le jour J, les liquides avaient présenté des dépôts sur le fond, comme des résidus de soupe de poisson : j'avais dû les filtrer et ajouter un peu d'eau pour l'aspect. Rien de bien grave, finalement. Au menu, j'avais imaginé quelques compléments tristes et sans ajouts personnels mais qui, justement, plaisaient habituellement : des gâteaux apéritifs, du pain caoutchouteux avec pâté et rillettes.

Vers 18 heures, tout semblait prêt : un greffier homosexuel m'avait aidé à dresser la table centrale. Il portait une sorte de chemisier inadéquat pour un homme et pour la saison, mais sa componction naturelle était divertissante. À contempler cette accumulation de plats et de bassines, je me dis que j'avais vu large : mes bons amis n'auraient sûrement pas l'intention de s'attarder. À toutes fins, j'avais prévu un appareil à musique dans un coin, car la vie est si étrange parfois.

Ils étaient arrivés peu à peu, toujours professionnellement différenciés : les magistrats d'un côté, les personnels subalternes de l'autre. Le punch sans alcool fut pris d'assaut, avec les gâteaux apéritifs : la logique m'échappait. Mais j'étais satisfait de voir que peu d'invités s'étaient dérobés. Le parquet dans son intégralité avait fait son apparition, ensemble, comme la milice du Parti : ils se tenaient dans un coin, groupés, surpris sans doute par le goût général de ce qu'ils ingurgitaient et qui leur donnerait sûrement un sujet de conversation critique pour le lendemain.

Et puis, j'avais commencé à constater les premiers signes anormaux dès la première demi-heure, au moment où le procureur en personne était venu m'offrir mon cadeau : *Dumbo*, mais en cassette VHS. Les pervers... Ils ne l'avaient trouvé que sur ce support, paraît-il. Je les remerciai vivement, notamment de ne pas avoir trouvé une version en 33 tours. Mais surtout, dans l'assistance, je vis que quelques billets étranges étaient en train de se poinçonner : des marques d'inattention irrespectueuse envers l'activité des chefs, une certaine fébrilité autour du punch et des cakes, une inhabituelle liberté d'échange.

Ensuite, de punch en punch, de cake en cake, les choses avaient tranquillement évolué. Je ne regrettai pas les doses massives de tous mes ingrédients : ça donnait aux événements l'accélération que devrait toujours connaître la vie.

C'est ainsi, au cœur de ce prévisible qui virait à l'imprévu, qu'Alice, l'assistante de justice, fit son apparition. Elle était accompagnée de Léonard. Une seconde, je me demandai si... Mais un préconscient raisonnable vint m'apaiser sans motif. M'apaiser de quoi, d'ailleurs ?

Sans réfléchir, en osmose simple avec l'humeur de l'endroit, ici et maintenant comme disent les initiés, j'allai brancher la boîte à musique : du rock soft, limite variétoche. L'idée eut son succès immédiat. Ils étaient tous plus atteints que je ne le pensais. Il n'était pas encore 20 heures quand je fus subtilement traversé par un sentiment d'inquiétude.

Alice sentit le punch, les cakes, puis me sourit en se servant un verre d'eau. Léonard sentit le punch, les cakes, puis me sourit en prenant de chacun d'eux. Subitement, je ne me sentis plus seul.

Quelqu'un éleva le niveau sonore. Les verticalités habituelles de l'esprit d'entreprise commençaient à fondre : les greffières se mettaient à danser avec les magistrats, soudainement lascives.

Alice s'approcha de moi :

— Tu as le secret des soirées réussies. Quel est-il donc ?

— Une bonne connaissance de la clientèle, je crois.

— Tu serais un bon commerçant.

— Mais toi, tu n'es pas une bonne cliente.

Elle eut une moue insaisissable. Je la trouvai incroyablement jolie, dans une incarnation humaine très réussie pour une extraterrestre.

— Tu sais ce que je pense, Étienne ?

— De quoi ?

— De toi, par exemple.

— Ah... Alors là, ne me dis rien. Cela m'effraie. Si tu as une idée là-dessus, je préférerais que tu me l'écrives, ça te permettra de réfléchir plus longuement.

Elle me regarda, puis fila pensivement vers ses affaires. Du coin de l'œil, je la vis griffonner sur un bout de papier. De l'autre coin de l'œil, je voyais Rident commencer à répéter ses revers de tennis, déjà chaud. Alice revint, une feuille de carnet à la main :

— Voilà, j'avais déjà réfléchi, tu sais.

Traversé par cet aveu mystérieux, je lus : « Étienne, es-tu

un hoplite ou un sigisbée ? Une réponse rapide m'obligerait. »

Je la regardai : avait-elle préparé ses armes pour prendre un coup de séduction d'avance sur moi ? Que faire de mon état d'ignorance culturelle ? Par défi, je pris son stylo et répondis, au jugé : « Aucun des deux, je suis un cénobite. »

Je filai dans mon bureau pour consulter un dictionnaire, par pur orgueil masculin. Plongé dans l'ouvrage, je sentis une présence dans la pièce. Je levai les yeux : c'était Valérie. Je l'avais complètement zappée, celle-là. Elle m'avait manifestement suivi. Je vis à son regard qu'elle avait abusé de produits illicites, qui auraient mérité une dénonciation régulière auprès des services compétents, et m'offrait ainsi un air piètre de chien maltraité : elle avait le don de pouvoir figurer dans toutes les émissions animalières. Debout, dans un équilibre précaire, elle entreprit de dégrafer son chemisier :

— Étienne, tu es un salaud... Je te déteste.

Que faire ? Je voyais avec circonspection les boutons s'ouvrir lentement sur un buste blanc, creux, comme ceux des mannequins nus en vitrine de magasins. Bientôt, deux cloques crevées feraient leur apparition, les images délavées d'un fantasme millénaire. C'était ma punition : je la méritais bien ; cette fille incarnait ma mauvaise conscience, venue se repaître de mes inconséquences et, pour expier d'une manière nécessaire, je me sentais prêt à tout, jusqu'à devoir goûter l'un de mes punchs.

— Écoute, Valérie, je ne crois pas...

— Étienne, tu es un salaud, tu n'y peux rien : c'est ta nature. Et justement, c'est en nature qu'il te faut payer...

— Valérie, écoute-moi s'il te plaît. Tu n'es pas dans ton état normal, et arrête d'ouvrir ces boutons, ça me dég... ce n'est pas utile.

— Tsssst... Tu ne m'as pas finie, la dernière fois, dans la voiture. Faut finir le boulot, Étienne...

— Tant que ça ? Quand même... Bon, je te propose un deal.

— Un deal ? Quel deal ?

Je me demandai si elle n'était pas en train de baver. Elle tanguait dangereusement.

— Je... Je voudrais que tu ailles sucer d'abord le proc. Je sais, ça a l'air un peu fou comme demande, mais c'est très important pour moi. Je voudrais que tu me dises à quoi ça ressemble là-dedans.

— Tu es fou, Étienne... Le proc, pourquoi pas le pape ?

— Si tu veux, le pape... C'est le bon moment ce soir : aucun de vous deux ne sentira rien et vous aurez tout oublié demain. Tu peux bien faire ça pour moi, non ?

Elle me regardait les yeux fermés. Comme ça, dans l'instant, j'aurais été le proc, je n'aurais peut-être pas dit non.

— Étienne, qu'est-ce que j'aurai si je le fais ?

— Ma considé... Mon amit... Quelque chose de fort entre nous. Une sorte de secret énorme qui nous liera.

— C'est tout... ?

— Non, bien sûr. Je t'offrirai de nouvelles peluches, si tu veux.

— Nous ferons l'amour toute une nuit ?

— Oui, bien sûr, éventuellement. Allez, file, ne perd pas de temps. Et surtout, raconte-moi...

Stoïquement, sans un mot, elle sortit du bureau en oubliant de plonger la dérive. Sa silhouette disparut dans la nuit du couloir, vers les échos d'un rock complètement démodé.

Sigisbée : n. m. Chevalier servant, compagnon empressé et galant.

Hoplite : n. m. Fantassin pesamment armé, dans l'antiquité grecque.

Cénobite : n. m. Religieux qui vivait en communauté (dans les premiers siècles chrétiens).

Je restai songeur. Dans l'esprit d'Alice, étais-je donc un séducteur ou un militaire ? Curieuse alternative, peu représentative à mon propre goût. Je filai à nouveau dans la fête, qui battait son plein. Le procureur n'avait pas bougé de son chambranle. Il souriait toujours de ses histoires intérieures. Ses jambes écartées empêchaient son sexe de toucher le bois de la porte mais il aurait sûrement une marque sur le front. Valérie tentait de lui parler, mais elle s'adressait au tableau accroché à côté, une sorte de photographie de dunes : un modèle de l'art judiciaire. Rident, lui, avait fini son match : écroulé sur une chaise, sa mâchoire accompagnait l'avachissement de sa personne, voire de son être tout entier. Intrusivement, cela donnait à percevoir quelque chose de son for. Le vice-président dansait, chemise dégrafée, au milieu de trois greffières en transe dégénérative. L'espace s'était un peu dépeuplé : comme dans la théorie de l'évolution, les plus forts avaient trouvé le moyen de sauver leur peau.

Alice se détacha d'un groupe à peine fréquentable pour me tendre notre papier, avec un sourire. Je lus : « Cénobite ? Ce mot ne te va pas du tout : c'est comme une promesse pleine de déception intérieure. »

Oulala ! Je la regardai : cette fille avait compris que j'étais un être faible, liquide, à l'usage presque exclusivement ornemental, et elle avait décidé de prendre les choses en main. Les choses d'accord, mais lesquelles ?

J'embrassai d'un regard toute la pièce : rien n'était plus à sa place mais tout, finalement, y demeurait. Ce n'était ce soir qu'un état secondaire destiné à confirmer la conformité des formes et des fonctions. Je ressentis étrangement que nous n'étions que les passagers d'une drôle d'histoire de ce lieu, en forme de trompe-l'œil euclidien. Je regardai s'éloigner Valérie au bras du procureur : ils allaient traverser la salle des pas perdus, vide, sombre, qui bientôt, dans leur mémoire trouble, symboliserait cette aventure qui ressemblait déjà à un dossier *en souffrance*. Alice s'éloignait à son tour : je regardai ses fesses moulées dans son jean, qui semblaient absorber à elles seules toutes les formes significatives de la vie, et quand elle se retourna et que ses dents blanches me lancèrent un clin d'œil, je m'aperçus de l'importance bondissante du choix soudain qui s'ouvrait à moi. Qu'avais-je à regretter finalement, hormis un secret anatomique au bord de se révéler et une cave aux propriétés solidairement exploitées ? Je sentais confusément que mon esprit s'orientait vers un non-lieu holistique.

ANNEXE

La seule procédure de l'évaluation a le fumet de l'âme bureaucratique : d'abord, sur le plan formel, le magistrat décrit sur une page ses activités depuis sa dernière évaluation, ainsi que les formations continues qu'il a suivies. Ensuite, son supérieur hiérarchique le convoque à un entretien privé, en tête à tête, destiné à évoquer les questions de tous ordres attachées à cette activité : c'est un beau moment de proximité administrative, où les éventuelles doléances se nuancent — selon les caractères, l'âge et la position indiciaire — de tentatives soudaines d'amitié professionnelle, ou de colère contenue avec ses injustices pointées, de soumission religieuse, voire, pour les cas difficiles, de promesses confuses. Rien n'est vraiment encadré dans cet intervalle d'intimité confidentielle : c'est l'office du chef, souverain, censeur, juste et bienveillant ; un adoubement provisoire, éternellement menacé, discrétionnaire et hautement empirique.

Quelques jours plus tard, l'imperium hiérarchique se matérialise dans sa forme sublimée : le formulaire type d'évaluation, notifié à l'intéressé. Ce document, décacheté toujours les doigts tremblants, se décompose en quatre grandes rubriques : les aptitudes professionnelles générales (capacités d'écoute, d'adaptation, à décider), les aptitudes professionnelles techniques (connaissances juridiques, capacités à l'audience, au traitement d'un dossier, aux réunions), les aptitudes à l'organisation et à l'animation (au sein de la juridiction), et enfin l'engagement professionnel (efficacité, perfectionnement des connaissances, relations avec les partenaires extérieurs). Les quatre pattes homologuées de l'*Homo juridicus*...

Les appréciations du supérieur hiérarchique se manifestent dans le mode formalisé de tableaux, évidemment, mais sa liberté créatrice peut trouver son espace d'envol dans la case « appréciations littérales » annexée à chacun d'eux. Les tableaux (un par rubrique) comportent chacun cinq colonnes destinées à recevoir des croix ; de droite à gauche : insatisfaisant, bon, très bon, excellent, exceptionnel. Le grand mouvement de la fonction publique consiste donc à se gauchiser avec application pour tendre à la jouissance de l'excellence et de l'exceptionnel. Qu'on se rassure à ce sujet : antichambres de la retraite, les cours supérieures (d'appel, de cassation) sont saturées d'êtres humains proprement exceptionnels, estampillés, presque sublimes. Les colonnes de droite concernent plutôt les nouveaux venus, les sorties d'écoles, les intégrés, dont les gages de qualité sont à conquérir : c'est le lieu de l'avenir et de la gestation des talents. Dans cette droite prometteuse, un déséquilibre saute aussitôt aux yeux : il n'y a qu'une colonne péjorative (celle de l'insatisfaction, réservée aux gens décevants) face aux quatre autres d'une soyeuse positivité. Un jour, sans transition, l'insatisfaisant devra passer au bon, dans une première résurrection promotionnelle en forme de saute-mouton. Pas d'état médian, intermédiaire ou juste convenable, de milieu tempéré. De même, pas de lieu plus à l'est, vers la nullité crasse, l'inaptitude avérée, la folie douce. Ces choses déplaisantes ne sont pas répertoriées. Ainsi, globalement, le grand corps se présente-t-il comme une assemblée de gens aimables, oscillant entre une bonne et une exceptionnelle qualité, au rythme appliqué et dodelinant de l'ancienneté indiciaire. Il suffit d'ailleurs de les regarder pour s'en convaincre.

Dans les cases « appréciations littérales » attachées à chaque tableau, le chef de service s'applique à détailler et expliquer ses croix. C'est le champ de mines de l'exercice : l'administration déteste personnaliser ses œuvres, elle préfère les tableaux et les actes types. L'évaluateur a le sentiment de mettre son autorité sur le billot quand il s'aperçoit que le choix même de ses termes entraîne par nature, chez le noté, une matière vivante à interprétation et à fatale différenciation — forcément discriminatoire. Cet espace de liberté se remplit donc d'une pâte onctueuse en forme de mots, du genre : « M. X fait face à la multitude de tâches qui lui sont confiées » ou « M. X apporte une contribution efficace à la bonne marche du service » ou encore « M. X entretient des rapports fructueux avec les partenaires extérieurs au service ». Parfois même, les appréciations littérales n'ont plus rien à voir avec les tableaux et toute tentative de rapprochement logique se perd dans le même brouillard christique qui baigne d'ordinaire les formulaires de la Sécurité sociale : « Des choix judicieux de formation continue devraient consolider une compétence déjà confirmée »...

Généralement, lors de l'entretien d'évaluation, le supérieur hiérarchique (procureur pour le parquet ou président pour le siège) se compose un marketing personnel — air grave et amabilité lointaine — destiné à marquer la solennité singulière de l'instant : noter un magistrat se révèle à l'évidence un acte autrement compassé que juger un auteur ordinaire d'infraction ; ici, l'extase pyramidale s'émerveille d'elle-même, elle s'érige dans une dignité sélective. Le but en est pourtant identifiable et peu compliqué : signifier son appartenance commune à l'ergonomie idéale de la fonction, et permettre au chef de ne pas désinvestir l'espoir intime d'incarner une sorte de modèle professionnel.

À nul endroit ne surgit l'espoir d'une véritable évaluation : « Mme X a de jolis yeux bleus et un chemisier à fleurs très seyant. Sur son bureau, la photo de ses enfants est très réussie. »

Composition Graphic Hainaut.
Achevé d'imprimer
sur Roto-Page
par l'Imprimerie Floch
à Mayenne, en mai 2009.
Dépôt légal : mai 2009.
Numéro d'imprimeur : 73801.

ISBN 978-2-207-26130-9 / Imprimé en France.

167744